Rhaffu Celwyddau

Rhaffu Celwyddau

Gwenno Hughes

Hoffai'r Lolfa ddiolch i:

Mairwen Prys Jones
Huw Vaughan Hughes o Ysgol Bro Morgannwg
Mererid Llwyd o Ysgol Glan y Môr
a Gwenno Wyn o Ysgol Gyfun Ddwyieithog y Preseli.
Hefyd, diolch i'r holl ddisgyblion o ysgolion Gwynllyw, Llangefni, Morgan Llwyd a Phenweddig am eu sylwadau gwerthfawr.

Argraffiad cyntaf: 2013

Comisiynwyd y gyfrol hon gyda chymorth ariannol Adran AdAS Llywodraeth Cymru

Cynllun y clawr: Rhys Huws

Rhif Llyfr Rhyngwladol: 978 1 84771 647 7

Cyhoeddwyd ac argraffwyd yng Nghymru
gan Y Lolfa Cyf., Talybont, Ceredigion SY24 5HE
gwefan www.ylolfa.com
e-bost ylolfa@ylolfa.com
ffôn 01970 832 304
ffacs 832 782

1

'Trowch y miwsig 'na i lawr, genod!' bloeddiodd Buddug Parry o waelod grisiau 7 Cefn Heli. 'Dwi ddim yn gallu clywed fy hun yn meddwl!'

'Rhaid i ni gael miwsig i'n rhoi ni mewn hwyliau parti!' atebodd Non, ei merch hynaf, gan wenu fel y gwanwyn yn ei llofft wrth daenu llinell o *kohl* o gwmpas ei llygaid gan eu troi'n ddau bwll brown tywyll trawiadol.

'Fydd dim parti os na ddowch chi'ch dwy i lawr i fan'ma i helpu efo'r bwyd!'

'Dau funud, Mam!' addawodd Ela, merch ieuengaf Buddug, wrth iddi sythu mop o wallt cyrliog oedd fel meicroffon du o gwmpas ei phen. Chwarddodd yn ddireidus wrth i Non droi'r miwsig yn uwch, nes pwmpiai 'Gwena' gan Gwibdaith drwy'r ystafell.

'Dowch i lawr yma'n reit handi!' brwydrodd llais Buddug drwy'r bît.

'Ocê, Mam!' atebodd Non ac Ela fel côr, heb wneud unrhyw ymdrech i symud.

'Pam mae hi ar bigau, d'wad?' gofynnodd Non wrth dynnu crib drwy'i gwallt crop brown a rhoi llyfiad o finlliw piwsgoch ar ei gwefusau.

'Cofio'r parti dwytha gest ti mae hi, siŵr o fod,' meddai Ela, ei llygaid gwyrdd yn dawnsio.

Teimlodd Non bang o euogrwydd wrth iddi gofio'r noson drychinebus honno y llynedd pan roddodd Peter

Pen Dafad o Flwyddyn 10 ei droed drwy'r teli ar ôl yfed tri chan o seidr a thaflu i fyny yn y bath.

'Ia, wel, dwi wedi addo na ddigwyddith hynny eto...'

'Baswn i'n meddwl hynny hefyd,' atebodd Ela. 'Neu aiff Dad yn bananas...'

'Fydd pob dim yn iawn y tro 'ma.'

'Byddan, achos fedran nhw weld bob dim o dŷ Nain Gloria.'

'Dim *pob* dim,' meddai Non, ond gwyddai ei bod hi'n lwcus ei bod wedi llwyddo i berswadio'i rhieni i fynd dros y ffordd i dŷ Nain Gloria yn ystod y parti, yn hytrach nag aros yn 7 Cefn Heli i gadw golwg. Er hynny, sylweddolai y bydden nhw draw mewn chwinc pe baen nhw'n amau unrhyw fisdimanars.

Camodd Non yn ôl i astudio'i hun yn y drych. Roedd ei bŵts lledr llwyd a'i sgert denim gwta'n arddangos ei choesau siapus yn berffaith ac yn asio'n hyfryd â'r top porffor llawes llydan a brynodd Ela'n anrheg pen-blwydd iddi.

'Diolch am y top. Mae o wedi costio ffortiwn...'

'Ti'm yn un ar bymtheg bob diwrnod, nag wyt?' atebodd Ela gan lanhau ei weiren sythu dannedd. 'Jest cofia faint dwi wedi wario arnat ti pan fydda *i'n* cael fy mhen-blwydd, reit...'

'Gwario arna i er mwyn i mi wario arnat ti wyt ti, felly?'

'Ia! Mae pwy bynnag ddwedodd mai'r rhoi ac nid y derbyn sy'n bwysig yn ffŵl!'

Chwarddodd y ddwy, a thynnodd Ela siaced werdd dros ei ffrog fini lachar las.

'Ydw i'n edrych yn cŵl?'

'Lyfli.'

'Titha 'fyd. Tyrd!'

Taranodd Non ac Ela i lawr grisiau'r tŷ teras bach brics coch gan ymuno â'u mam yn y gegin chwyslyd. Barbeciw oedd Non eisiau ar gyfer ei pharti ac roedd Buddug wedi mynd i gryn drafferth i baratoi'r bwyd. Roedd y bwrdd a'r bar brecwast yn griddfan dan bwysau'r holl ddanteithion – powlenni o salad, colslo a chreision; hambyrddau o wahanol gaws a chraceri; *baguettes*, tsiytnis a chnau; mynyddoedd o sosejys a byrgyrs cartref amrwd wedi eu gorchuddio â ffoil; dwy baflofa mafon ewynnog; pwdin siocled; a phynsh ffrwythau ffresh.

'Wnaiff o'r tro?' gofynnodd Buddug gan wthio cudyn o wallt duach na'r frân y tu ôl i'w chlust wrth iddi wibio o amgylch y gegin fel gwenynen.

'Mam, ti'n seren!' meddai Non gan ei chofleidio.

'Dwyt ti ddim yn porthi'r pum mil, cofia!' ychwanegodd Ela. 'Dim ond deunaw o bobl sy'n dod…'

'Mae pobl ifanc yn bwyta fel ceffyla – ffaith!' atebodd Buddug. 'Mae dy dad yn mynd i nôl y deisen ben-blwydd i'r becws ar ei ffordd adre o'r seit, Non…'

'Doedd dim eisio i chi i brynu teisen ben-blwydd i mi!'

'Gei di ffit pan weli di hi!' tynnodd Ela ei choes. 'Maen nhw wedi sganio llun ohonat ti'n fabi arni hi.

Ti'n eistedd yn y bath efo cwmwl o swigod fel wìg am dy ben!'

'Be?' ebychodd Non. 'Cywilydd…'

'Oedd rhaid i ti ddifetha'r syrpréis, Ela?' dwrdiodd Buddug.

'Roedd yn rhaid i rywun ei rhybuddio hi, rhag ofn i Adam gael ffit!'

Cariad Non oedd Adam. Fo oedd ei ffrind gorau hi hefyd ac roedden nhw wedi bod yn gweld ei gilydd ers bron i naw mis. Roedd o flwyddyn yn hŷn na hi, ac yn brentis mecanic mewn garej yn y dref.

'Mae o'n lun ciwt iawn,' addawodd Buddug. 'Stopia dynnu arni, Ela!'

Chwarddodd Ela wrth gario'r danteithion allan i'r bwrdd pren roedd eu tad wedi'i osod ger y barbeciw ym mhen draw'r stribyn o ardd hirsgwâr. Roedd o wedi codi canopi gwyrdd a gwyn streipiog uwchben y bwrdd, rhag ofn iddi fwrw. Ond doedd dim peryg o hynny gan ei bod hi'n ddiwrnod poeth o Fehefin, yr awyr yn glir a digwmwl a'r mymryn lleiaf o awel yn siffrwd drwy lwyni'r ardd. Roedd eu tad wedi clymu lanterni papur amryliw i'r ffens a byddai'r rheini, yn ogystal â'r goleuadau bach gwyn o gwmpas y llwyni, yn troi'r ardd yn fangre hudolus wedi i'r haul fachlud.

'W'chi be? Fydd heddiw'n ddiwrnod i'w gofio,' meddai Non gydag ochenaid fach bleserus.

'Bydd, gobeithio,' meddai Buddug, ond roedd tinc gofidus yn ei llais.

'Gwena, Mam,' meddai Non. 'Mae'r gwaith caled i gyd wedi'i wneud rŵan.'

'Ia, *chillax*!' ychwanegodd Ela.

'*Chillax*?' gofynnodd Buddug. 'Pa fath o air ydi hwnna?'

'Gair cyfansawdd!' atebodd Ela ac er gwaetha'i hun, gwenodd Buddug gan ddangos rhesiad o ddannedd gwyn, gwastad.

'Dwi jest eisio i bob dim fod yn iawn i chdi, pwt,' meddai gan gofleidio Non.

'Fydd o!' atebodd hithau, yn grediniol fod haf hirfelyn cyffrous o'i blaen. Roedd Non wedi sefyll ei harholiad TGAU olaf ddechrau'r wythnos a bellach roedd hi â'i bryd ar joio, felly cydiodd mewn dwy ddysgl oddi ar fwrdd y gegin a dilyn Ela i lawr llwybr yr ardd.

Mewn dim, roedd y bwrdd pren dan ei sang o fwyd a phenderfynodd Buddug gynnau'r barbeciw gan y byddai'r gwesteion yn dechrau cyrraedd ymhen rhyw dri chwarter awr. Wrth i'r mwg chwerwfelys lyfu'r golosg, ymddangosodd Nain Gloria yn y drws cefn yn gwmwl o fwg sigaréts, stiletos hufen a lipstig oedd fymryn yn rhy binc.

'Iŵ-hŵ! Wedi dod i fusnesu ydw i!' cyhoeddodd yn ei llais Lambert & Butler cras. 'A dŵad ag anrheg bach i'r *birthday girl*!'

Goleuodd wyneb Non wrth i'w nain wthio cryno-ddisg Y Bandana i'w dwylo cyn estyn bwydlen yr Hot Wok i Buddug.

'Fyddi di'n falch o glywed na fydda i'n cwcio i chi

heno, Budd,' chwarddodd. 'Rhag ofn i mi dy wenwyno di a Bryn!'

Roedd Nain Gloria mor enwog am ei diffyg talent yn y gegin ag oedd ei merch am ei harbenigedd. Byddai'n llosgi tost.

'Dwi wedi cadw rhywfaint o'r sgram i ni ddŵad â fo acw hefo ni,' eglurodd Buddug. 'Mae 'na hambwrdd yn y gegin. Dowch i'w nôl o, Mam...'

'*Move over,* Dudley!' meddai Nain Gloria wrth ddilyn ei merch tua'r gegin a rhoi winc slei i'w hwyresau. 'Chwaraewch y cryno-ddisg 'na, genod, i mi gael gwybod ar ba sgrwtsh dwi wedi gwario 'mhres prin!'

Wrth i Non roi'r cryno-ddisg yn y peiriant, sylwodd ar Ela'n tynnu potel fach o fodca o boced ei siaced werdd a'i dywallt yn slei i mewn i'r pynsh ffrwythau.

'Lle gest ti honna?' sibrydodd Non.

'Cwpwrdd lysh Dad.'

'Aiff Mam yn nyts os gwelith hi ti!'

'Wnaiff hi ddim! Mae hi'n rhy brysur yn siarad efo Nain, dydi. A 'dan ni eisio rhoi cic yn y parti 'ma, does?'

'Oes! Ond 'dan ni ddim eisio iddo fo gael ei ganslo cyn iddo fo gychwyn!'

'Ti'n poeni gormod!'

'Mam sy'n poeni. Dwi'n ama'i bod hi'n dal i feddwl ein bod ni'n mynd i fynd dros ben llestri a gwneud llanast, er i mi addo peidio.'

'Rhaid iddi hi'n trystio ni, bydd,' meddai Ela wrth i nodau cyntaf 'Cân y Tân' ddianc o'r cryno-ddisg.

'Hei, Nain, be 'dach chi'n ei feddwl o'r gân 'ma?' gwaeddodd.

Ymddangosodd Nain Gloria o'r gegin gyda'r hambwrdd, a Buddug y tu ôl iddi. 'Dydi o ddim yn ddrwg, nadi, Budd?' cyhoeddodd drwy gwmwl o fwg sigaréts. 'Ond dydyn nhw ddim yn gwneud miwsig rŵan fel roeddan nhw'n ei wneud ers talwm. Hogia'r Wyddfa, Tony ac Aloma, Y Pelydrau – nhw oedd y bois…'

'Mae 'na ddigon o fynd yn y band 'ma, cofiwch,' meddai Buddug.

'Dangos dy fŵfs i ni, Mam!' cellweiriodd Non.

'Ro i ddau dro am un i chdi, madam!' atebodd hithau gan ddechrau siglo i'r bît. Dechreuodd Non ac Ela chwibanu wrth i Buddug droelli o gwmpas yr ardd.

'Ddaru mi ddim ennill cystadleuaeth dawnsio disgo dan ddeuddeg Steddfod Caer-heli ar chwara bach, dalltwch!' ychwanegodd hithau gan gydio ym mreichiau Non ac Ela a'u gorfodi i ddawnsio gyda hi.

'Plis paid â dweud wrtha i dy fod ti'n gwisgo *leotard* sgleiniog…' griddfanodd Non.

'*Leotard*, tŵ-tŵ gwyrdd a sanau pinc llachar! Ro'n i'n bictiwr, doeddwn, Mam?'

'Fel coeden Dolig hefo traed!' chwarddodd Nain Gloria gan fflicio stwmp ei sigarét dros y ffens, troi'r miwsig i fyny ac ymuno yn y dawnsio gyda'r tair arall. Prin y clywon nhw'r ffôn yn canu yn y tŷ.

'Fydda i 'nôl rŵan,' meddai Buddug gan duthio i'r tŷ i ateb y ffôn.

'Hei, roedd eich mam yn iawn,' meddai Nain Gloria

wrth i 'Cân y Tân' ddod i ben. 'Mae 'na ddigon o fynd yn y Bananas 'ma...'

'Y Bandana, Nain!' llefodd Non ac Ela gan rowlio eu llygaid, ond fel y dechreuodd y gân nesaf bwmpio o'r peiriant cryno-ddisgiau, daeth sgrech iasoer o'r tŷ.

Rhewodd y tair.

Yna carlamodd Non ac Ela i lawr llwybr yr ardd, a Nain Gloria'n straffaglu i'w dilyn. Melltiodd y genod drwy'r gegin ac i'r lolfa a gweld eu mam yn pwyso yn erbyn ffrâm y drws. Roedd ei choesau'n gwegian, ei hwyneb fel y galchen.

Crogai'r ffôn oddi ar fachyn y wal.

2

Hyrddiwyd drysau'r Uned Ddamweiniau ar agor wrth i Non, Ela a Buddug Parry ffrwydro drwyddynt. Tarodd arogl diheintydd cryf eu ffroenau wrth iddynt sgrialu drwy resi o gadeiriau plastig llwyd yn llawn cleifion truenus yr olwg. Gwichiai eu hesgidiau wrth iddynt hedfan dros y llawr teils cyn dod i stop wrth ddesg lwyd y dderbynfa. Roedd y dderbynwraig, oedd yn dalp o liw haul ffug a modrwyau aur, yn siarad bymtheg y dwsin ar y ffôn, felly dyrnodd Buddug y ddesg i gael ei sylw.

'Bryn Parry? Ges i alwad i ddweud ei fod o wedi cael ei ruthro yma o seit adeiladu Cae Ffynnon.'

'Fydda i hefo chi rŵan,' meddai'r dderbynwraig yn ddidaro gan gario ymlaen i barablu ar y ffôn.

'Lle mae o?' bloeddiodd Buddug, ei llygaid yn gwibio'n wyllt o gwmpas yr ystafell.

'Paid â gweiddi, Mam,' meddai Non wrth i wyneb y dderbynwraig galedu. 'Ylwch, mae Dad wedi disgyn oddi ar sgaffold ac wedi glanio ar sbeic haearn,' eglurodd gan anadlu'n llawer rhy gyflym. 'Ffoniodd ei fforman i ddweud wrthon ni am ddod yma'n syth bìn...'

'Pryd oedd hyn?' meddalodd wyneb y dderbynwraig.

'Rhyw chwarter awr 'nôl...'

'Lle mae o?' holodd Buddug yn daer.

'Newydd ddod ar shifft ydw i,' eglurodd y dderbynwraig. 'Ond os cymerwch chi sedd, fe wna i ffendio allan...'

'Dwi ddim eisio sedd!' cododd llais Buddug unwaith eto. 'Dwi eisio gwybod lle mae Bryn!'

'Mam, gwna fel mae'r ddynes yn ei ddweud...' meddai Non gan arwain Buddug ac Ela at dair cadair blastig a'u gorfodi i eistedd. Ond allai Non ddim eistedd. Roedd hi'n fyw o nerfau wrth i'r dderbynwraig ddiflannu i grombil yr ysbyty i chwilio am newyddion. Roedd pwys ar ei stumog a chyfog yn bygwth codi.

'Fydd Dad yn iawn, bydd?' gofynnodd Ela gan gnoi gewin ei bawd yn bryder i gyd.

Rhoddodd Buddug ei braich amdani. 'Bydd, siŵr. Ddaru Trefor ffonio'r ambiwlans yn syth,' meddai gan orfodi'i hun i fod yn bositif, cyn dangos fflach o wylltineb tuag at fforman ei gŵr. 'Wn i ddim pam nad ydi o wedi ffonio 'nôl chwaith! Wnes i ei siarsio fo i wneud!'

Cipiodd Buddug ei ffôn o'i bag a rhoi caniad i Trefor Triwal. Aeth yr alwad yn syth i'r peiriant ateb. Rhegodd Buddug. Ond yr eiliad y rhoddodd hi ei ffôn yn ôl yn y bag, canodd. Atebodd Buddug yn syth.

'Trefor?'

'Naci, dy fam.' Roedd Nain Gloria wedi aros adref i egluro wrth y gwesteion fod y barbeciw wedi'i ganslo. 'Be sy'n digwydd?'

'Wyddon ni ddim byd eto,' eglurodd Buddug. 'Wna i'ch ffonio chi'r eiliad cawn ni synnwyr...'

Diffoddodd yr alwad wrth i'r dderbynwraig ailymddangos. Hedfanodd Buddug tuag ati, y genod wrth ei chwt.

'Ddaw'r doctor trwodd i siarad hefo chi cyn gynted ag y medar o,' eglurodd y dderbynwraig.

'Mae Bryn yn mynd i fod yn iawn, tydi?' adleisiodd Buddug gwestiwn Ela.

'Fel dywedais i, ddaw'r doctor i gael gair...'

'Ydi hynna'n golygu fod Dad *ddim* yn mynd i fod yn iawn?' gofynnodd Non.

'Gen i ofn nad ydw i'n gwybod y manylion,' atebodd y dderbynwraig. 'Felly, steddwch.'

Doedd Buddug ddim eisiau eistedd ac er iddi strancio, roedd hi'n amhosibl cael mwy o wybodaeth gan y dderbynwraig. Nid ei lle hi oedd trafod achos claf a throdd ei sylw at fachgen oedd newydd ddod i mewn, ei fraich yn pistyllio gwaedu.

'Fydd rhaid i Dad gael llawdriniaeth?' holodd Ela.

'Wn i ddim!' cyfarthodd Buddug, cyn difaru'n syth o weld Ela'n crebachu. 'Sori, Els...'

Welodd Non erioed mo'i mam yn edrych cynddrwg. Roedd croen ei hwyneb wedi'i dynnu'n dynn dros ei gruddiau a'i gwefusau'n wyn. Troellai gudyn o'i gwallt o gwmpas ei bys nes ei fod yn glymau i gyd.

Roedd Ela wedi cnoi gewin ei bawd i'r byw erbyn i'r doctor ymddangos drwy'r drysau dwbl, a Trefor Triwal wrth ei gwt. Roedd Trefor yn gawr o ddyn gwritgoch, gyda thas o wallt golau a llwythi o datŵs dreigiau ar ei freichiau, ond roedd o wedi crymu fel bwa heddiw. Pwyntiodd tuag at Buddug a brasgamodd y doctor tuag ati, ei gôt wen yn chwipio y tu ôl iddo wrth iddo estyn ei law a chyflwyno'i hun.

'Doctor Roberts,' meddai mewn acen ddeheuol fwyn. 'Dilynwch fi, os gwelwch yn dda.' Gwthiodd ei sbectol weiren denau yn ôl ar ei drwyn a sychu haenen o chwys oddi ar ei ben moel sgleiniog wrth iddo arwain Buddug a'r genod yn ôl drwy'r drysau dwbl i ystafell gyfyng ac ynddi soffa fu unwaith yn las.

'Mae Bryn mewn cyflwr difrifol, dydi?' gofynnodd Buddug wrth iddi wawrio arni na fyddai'r doctor wedi eu harwain i ystafell breifat petai popeth yn iawn.

'Odych chi isie cael y sgwrs 'ma o fla'n y merched?' holodd y doctor yn garedig.

Nodiodd Buddug a'r tro yma eisteddodd i lawr yn syth wrth i'r doctor amneidio arni i wneud hynny. Safodd Non ac Ela o bobtu iddi'n amddiffynnol, tra pwysai Trefor yn erbyn y drws.

'Fel chi'n gwbod, mae'ch gŵr wedi cwmpo oddi ar sgaffold ac wedi glanio ar ei gefen ar sbeic,' meddai'r doctor. 'Nawr, ma 'da fi ofan bod y sbeic wedi creu archoll difrifol i'r ddueg...'

'Y ddueg?' gofynnodd Buddug, ar goll.

'*Spleen*. Mae Mr Parry wedi colli lot fawr o waed ac yn parhau i wneud 'nny, felly fydd e angen llawdriniaeth frys. Bydd rhaid tynnu'r ddueg...'

Rhythodd y genod arno.

'Nawr, mae'r ddueg yn helpu i reoli faint o waed sydd yn y corff a brwydro afiechydon. Ond mae hi'n bosib byw hebddi...'

Bu distawrwydd wrth i bawb ymlafnio â'r

newyddion. Distawrwydd hir gyda dim ond tician y cloc i darfu arno. Yna, darganfu Non ei llais.

'Beth fyddai'n digwydd... ym, beth fyddai'n digwydd os na dynnwch chi hi?'

'Dyw 'nny ddim yn opsiwn,' meddai'r doctor. '*Rhaid* i ni wneud y llawdriniaeth neu...'

'Neu beth?' Sychodd y geiriau ar wefusau Non.

'Wnewn ni'n gore drosto fe,' atebodd y doctor ac ysgytiwyd Non wrth iddi sylweddoli ei fod wedi osgoi'r cwestiwn. Edrychodd ar ei mam ac Ela'n syllu'n syfrdan ar y doctor wrth iddo egluro'r camau nesaf.

'Nawr, ma fe 'di cael ei roi ar drip ac ma fe angen gwaed cyn mynd lan i'r theatr...'

'Ro i waed iddo fo! Teip B dwi,' cynigiodd Non. 'Dwi wedi astudio teipiau gwaed yn yr ysgol.'

'Ma 'da ni waed yn barod, bach,' gwenodd y doctor yn gynnes arni. 'A gore pwy gynta fwrwn ni mlan 'da pethe. Croeso i chi aros fan hyn...'

Nodiodd Buddug ond yr eiliad diflannodd y doctor drwy'r drws, disgynnodd yn glewt ar y soffa wrth i'w choesau roi oddi tani. Gwibiodd Trefor tuag ati a rhoi'i fraich o'i chwmpas.

'Fydd bob dim yn iawn sti, Budd,' meddai, er fod amheuaeth yn diferu drwy'i lais.

'Ond beth... beth os aiff rhywbeth o'i le... beth os gwnaiff Dad farw?' gwywodd llais Ela.

'Wnaiff o ddim, siŵr iawn...' mynnodd Trefor, ond erbyn hyn roedd Buddug yn brwydro'r dagrau, er ei bod hi'n ceisio cuddio hynny rhag y genod. Dechreuodd Ela gnoi ewin arall a chamodd Non i syllu drwy ffenestr fudr yr ystafell. Allai hi ddim deall sut roedd yr haul yn dal i dywynnu y tu allan tra oedd popeth wedi newid iddyn nhw.

Popeth.

Byddent yn newid eto hefyd, petai ei thad yn marw. Aeth ias drwy Non a cheisiodd orfodi'i hun i beidio meddwl am y peth. Ond dyna'r cwbl y gallai hi feddwl amdano…

Roedd y cloc yn dal i dician. Tician a thician tra oedd pawb ar goll yn eu byd bach eu hunain. Yna, gofynnodd Non sut roedd ei thad wedi disgyn.

'Ar frys i adael oedd o, del…' atebodd Trefor.

'I gyrraedd y barbeciw?'

'Na. Eisio mynd i nôl y deisen o'r becws oedd o. Mi faglodd dros fwced sment a llithro oddi ar y sgaffold…'

Edrychodd Non ar Trefor am eiliad cyn i don o euogrwydd lifo drosti. 'Felly… fy mai i ydi hyn… Fy mai i ydi o fod Dad ar ei ffordd i'r theatr, yn ymladd am ei fywyd…'

'Paid â bod yn wirion, pwt…' meddai Buddug.

'Pe bai o ddim ar frys i nôl y deisen, fyddai o ddim wedi baglu a fyddai o heb lithro. Felly, ia, fy mai i ydi o, Mam!'

'Non…' ceisiodd Buddug ei chysuro.

'Mae o'n wir!'

'Nadi, siŵr. Fi archebodd y deisen! Felly, os oes bai ar rywun, fy mai i ydi o…'

'Archebu teisen ar gyfer fy mhen-blwydd *i* wnest

ti, Mam...' Torrodd Non i lawr a lapiodd Buddug ei breichiau o'i chwmpas a'i dal yn dynn.

'Damwain ydi damwain...'

Ond roedd y llifddorau wedi agor ac wrth i Non dorri'i chalon, lapiodd Ela ei breichiau o gylch y ddwy. Teimlai Trefor Triwal fymryn yn annifyr. Wyddai o ddim a ddylai o ymuno yn y goflaid. Gwaedai ei galon drostynt ond doedd o ddim yn un i ddangos emosiwn, felly llithrodd o'r ystafell i brynu paned i bawb o'r peiriant coffi i lawr y coridor.

Doedd neb eisiau'r coffi ac roedd paned Non fel iâ pan ddaeth sŵn blîp o'i ffôn i dorri ar y distawrwydd. Tecst, gan Adam.

NEWYDD GLYWED. SUT MAE DY DAD? XX

Tecstiodd Non ef yn gyflym gyda'r newyddion diweddaraf, tra rhoddodd Buddug ganiad sydyn i Nain Gloria. Roedd honno'n daer am gael dod i'r ysbyty ond gan na allai hi nac Adam wneud dim, doedd dim pwynt iddynt fod yno. Addawodd Non decstio Adam yr eiliad y byddai unrhyw newyddion. Teimlai'r munudau fel oriau ac roedd yr ystafell yn drwm dan densiwn pan edrychodd Ela ar y cloc ar y wal am y degfed tro.

'Mae o wedi bod yn y theatr am awr rŵan,' cyhoeddodd, fel petai neb yn sylweddoli hynny. Ddywedodd neb air. Roedd yr aros yn artaith. Welodd Non erioed fys cloc yn treiglo mor araf. Roedd ei dician yn ddidostur yn nistawrwydd yr ystafell ac roedd fel petai o'n herio a gwatwar. Roedd gan Non ysfa i'w chwipio i lawr a'i sathru'n racs jibidêrs, ond torrodd llais ei mam ar draws ei meddyliau.

'Fyddai'r barbeciw wedi bod yn ei anterth rŵan...' meddai.

'Byddai,' ochneidiodd Ela. 'Wnest ti ddweud y byddai heddiw'n ddiwrnod i'w gofio, do, Non. Ac mae o – am y rhesymau anghywir...'

'Ydych chi'n cofio 'mhen-blwydd i llynedd?' gofynnodd Non ac yn sydyn, cynhesodd yr ystafell gydag atgofion melys.

'Be ddigwyddodd?' holodd Trefor.

'Aeth Dad â ni am noson i westy posh yn Lerpwl!' ychwanegodd Ela. 'A phan dwi'n dweud 'posh', dwi'n golygu posh...'.

Doedden nhw byth yn cael mynd i lefydd felly fel arfer. Roedd arian yn dynn ers i Buddug golli'i swydd yn nerbynfa'r Ganolfan Hamdden ond cafodd Bryn fargen munud olaf ar y we a gwirionodd y genod pan sylweddolon nhw fod pwll nofio, *sauna* a *jacuzzi* yn y gwesty.

'Gawson ni brynhawn bendigedig yn y pwll, do?' meddai Buddug. 'Tan i'ch tad benderfynu arddangos ei sgiliau plymio...'

'Ei ddiffyg sgiliau!' meddai Non. 'Mi laniodd ar ei fol oddi ar y bwrdd deifio a gyrru tswnami dros y ddynes 'ma oedd yn gorwedd ar wely haul wrth ymyl y pwll. Roedd hi'n socian...'

'Bron i mi foddi, ro'n i'n chwerthin cymaint!' piffiodd

Ela. 'A'r mwya roedd Dad yn ymddiheuro, mwya roedd y ddynas yn gwylltio!'

'Mae o'n lwcus na chafodd o glustan!' gwenodd Trefor.

'Gafodd o glustan yn fy mharti pen-blwydd i ddwy flynedd 'nôl!' datguddiodd Ela. 'Noson Calan Gaeaf oedd hi ac mi neidiodd Dad allan o du cefn i'r biniau wedi gwisgo fel Dracula! Gafodd Mam ffit a roddodd hi slap iddo fo!'

'Iesgob, Budd, do'n i ddim yn gwbod dy fod ti'n hogan beryg!' meddai Trefor, ei lygaid yn gloywi, a chwarddodd pawb cyn i Buddug ddifrifoli.

'Jest gobeithio bydd dy dad yma ar gyfer dy ben-blwydd di leni, 'te,' meddai'n dawel a sugnwyd pob arlliw o ddireidi o'r ystafell. Yn sydyn, roedd pawb yn y theatr gyda Bryn yn ewyllysio iddo ddod drwyddi.

Ddywedodd neb 'run gair am hir iawn wedyn. Ceisiodd Buddug ganolbwyntio ar hen gylchgrawn drewllyd oedd ar y bwrdd ger y soffa ond buan y taflodd ef o'r neilltu. Roedd Ela wedi cnoi ei hewinedd hyd at waed, tra hoeliai Non ei sylw ar y cloc.

'Reit, dwi am nôl mwy o goffi,' meddai Trefor, er y gwyddai nad oedd neb eisiau paned. Cododd a chroesi'r ystafell ond, fel yr agorodd y drws, llanwodd Dr Roberts y ffrâm. Edrychai wedi ymlâdd a theimlodd Non y cyfog yn codi eto.

'Mae o'n newyddion drwg, dydi…' sibrydodd, a daliodd yr ystafell gyfan ei gwynt.

3

Gwenodd Dr Roberts. 'Mae Mr Parry wedi dod drwyddi,' meddai a theimlodd Non bwysau'r byd yn codi oddi ar ei hysgwyddau wrth i'r rhyddhad ffrydio drwyddi. Llamodd tuag at y doctor a'i wasgu mor dynn nes prin y gallai o anadlu.

'Diolch,' meddai. 'Diolch, diolch, diolch.'

Tywynnodd Ela ond roedd dagrau mawr gloyw yn powlio i lawr bochau Buddug.

'Paid â chrio, Mam!' meddai Ela wrth i Trefor roi'i fraich o gwmpas Buddug. 'Mae'r doctor newydd ddweud fod Dad yn mynd i fod yn iawn.'

'Dwi mor falch!' dywedodd Buddug gan hanner crio, hanner chwerthin a chofleidiodd hithau'r doctor hefyd.

'Mae e'n dala i fod yn fachan tost, cofiwch,' rhybuddiodd y doctor gan ryddhau ei hun o freichiau Non a Buddug. 'Gymrith e amser i ddod dros y llawdriniaeth a bydd yn rhaid i'w fywyd e newid yn sgil hyn...'

Aeth ymlaen i egluro fel y byddai'n rhaid i Bryn gymryd *penicillin* i ymladd afiechydon, gan na allai'r ddueg wneud hynny rhagor, ond cyn belled â'i fod yn cymryd ei feddyginiaeth bob diwrnod roedd y doctor yn ffyddiog y byddai'n iawn.

'Gawn ni weld Dad rŵan?' erfyniodd Non.

'Mae e lawr yn Recovery ar y funed. Mae e mas ohoni

ac mae e'n wan iawn ond unwaith daw e lan i Ward Mona, gewch chi'i weld e – am ychydig…'

Anelodd Trefor am adref. Roedd o wedi ymlâdd ac yn awyddus i roi llonydd i Buddug a'r genod fynd i weld Bryn ar eu pennau eu hunain.

Buddug oedd y gyntaf i fynd i'r ystafell breifat fechan ar Ward Mona ac allai dim fod wedi'i pharatoi ar gyfer y sioc a gafodd o weld Bryn. Roedd ei gŵr gwydn – oedd wastad yn dŵr o nerth – yn gorwedd yn ddiymadferth ar gynfasau gwyn y gwely, gwawr felen ar ei wyneb lliw tywydd a'i wefusau llawn yn ddim ond hollt lwyd gam. Roedd ei wallt cyrliog, brith yn fflat fel crempog ac roedd crafiad cas ar ei foch chwith. Cydiodd Buddug yn ei law ac er ei fod yn cysgu, fe'i cusanodd yn ysgafn, cyn troi am y drws.

'Dewch i mewn, genod…' sibrydodd a shifflodd Non ac Ela i mewn, gan sefyll o boptu'r gwely.

'Dydi o ddim yn edrych fel Dad,' meddai Ela gan syllu'n ofnus ar y corff diymadferth yn y gwely.

'Mi fydd o'n edrych fwy fel fo'i hun pan ddeffrith o,' cysurodd Buddug ond gwyddai fod gweld y nythaid o diwbiau oedd yn pympio hylifau i mewn ac allan o gorff ei thad yn ypsetio Ela. Roedd hi'n mynd yn fwyfwy anghyfforddus, felly arweiniodd Buddug hi allan o'r ystafell. 'Dowch. Mae Dad angen llonydd,' meddai.

'Ddo i ar eich hôl chi rŵan,' sibrydodd Non heb wneud unrhyw ymdrech i symud. Syllodd ar ei thad am amser hir gan sylwi am y tro cyntaf ar y we o rychau oedd o gwmpas ei lygaid a'r bagiau duon oddi tanynt. Edrychai'n hen.

'Doedd dim rhaid i chdi hedfan oddi ar sgaffold i'n stopio i rhag cael parti, sti,' meddai gan geisio ysgafnhau'r awyrgylch. 'Wnes i addo na fyddai neb yn rhoi ei droed trwy'r teli na chwydu yn y bath y tro yma, do...'

Cyffrodd ei thad ac, am eiliad, meddyliodd Non ei fod am ddeffro a rhannu'r jôc. Ond dim ond mwmian rhywbeth yn ei gwsg a thrio troi wnaeth o. Wrth iddo wneud hynny, dadgysylltodd y tiwb oedd yn sownd yn y bag gwaed a grogai ger y gwely a sbyrtiodd hylif dugoch o'r tiwb a staenio'r gwely gwyn glân. Bloeddiodd Non am nyrs a brasgamodd gŵr ifanc boldew i mewn i'r ystafell. Ailgysylltodd y tiwb yn ddeheuig a di-lol ac wrth i Non ei wylio'n gweithio, sylwodd ar y label ar y bag gwaed. Cymerodd gam yn nes.

'Ddim hwnna ydi'r gwaed iawn...' meddai gan grychu'i thalcen.

'Be, blods?'

'Rydach chi'n rhoi'r gwaed anghywir iddo fo!' Saethodd panig drwy Non. 'Dim hwnna ddylai Dad ei gael!'

'Ia. Teip A ydi teip gwaed dy dad...'

'Naci! O ydi Mam, a dwi'n B. Felly fedar Dad ddim bod yn A!' meddai Non gan gofio'i phrosiect ysgol.

'Rydan ni wedi tsiecio'i records o...' meddai'r nyrs. 'Teip A ydi o, blods. Bendant.'

'Na! Rydach chi wedi gwneud camgymeriad!'

Ysgydwodd y nyrs ei ben.

'Ond os ydi Dad yn A, fedar o ddim bod yn...' Sychodd

y geiriau yng ngheg Non wrth iddi sylweddoli na allai o fod yn dad gwaed iddi.

Syllodd ar y bag gwaed gan geisio gwneud synnwyr o'r hyn roedd y nyrs newydd ei ddweud. Ond doedd yr hyn roedd o newydd ei ddweud *ddim* yn gwneud synnwyr.

Roedd Buddug yn y coridor y tu allan yn aros i Ela ddod o'r tŷ bach pan sgrialodd Non allan o'r ystafell breifat fechan.

'Mam, stopia nhw!' ffrwydrodd y geiriau o grombil Non. 'Maen nhw'n rhoi'r gwaed anghywir i Dad! Fedar o'm bod yn deip A, na fedar! Achos... achos alla fo ddim bod yn dad i mi fel arall...'

Simsanodd Buddug.

'Mam?'

Atebodd hi ddim.

'Mam! Mae'r nyrs yn mynnu eu bod nhw'n iawn ond maen nhw wedi gwneud camgymeriad, dydyn?'

Agorodd Buddug ei cheg ond ddaeth dim gair allan.

'Dweud eu bod nhw wedi gwneud camgymeriad!'

Ond yn hytrach na martsio i'r ystafell breifat fechan i chwarae'r diawl, diflannodd pob tamed o liw o fochau Buddug ac, yn yr eiliad honno, chwalodd byd Non.

Os nad ei thad oedd ei thad, doedd dim yn gwneud synnwyr.

Os nad ei thad oedd ei thad, doedd Non ddim y person roedd hi'n meddwl oedd hi.

Os nad ei thad oedd ei thad, doedd o na'i mam ddim y bobl roedd Non yn meddwl oedden nhw.

Caeodd waliau'r coridor amdani. Daeth y llawr i gwrdd â hi. Trodd wyneb ei mam yn niwl. Allai Non ddim anadlu. Roedd hi'n mygu. Sgrechiai ei hysgyfaint wrth iddi hanner rhedeg, hanner baglu tua'r drysau dwbl ym mhen draw'r coridor.

'Non! Tyrd yn ôl!' bloeddiodd Buddug. 'Yli, fedra i egluro... Dwi'n sori... Maddau i ni....'

Ond diflannodd Non drwy'r drysau heb edrych yn ôl.

Roedd y garej fach lwyd yng nghefn y tŷ olaf ar stad cyngor Mur y Gof yn crynu i seiniau *techno* tanddaearol ac roedd Adam Franchi yn siglo'i ben ôl bach del i'r bît wrth iddo blygu o dan fonet ei Vauxhall Corsa coch. Y Corsa oedd car cyntaf Adam. Ei gael ar ôl ei daid wnaeth o ac roedd o'n obsesiynol am ei olchi a'i bolisho. Byddai'n tincran o dan y bonet bob munud sbâr a gâi. Wrthi'n newid y ffilter olew oedd o pan glywodd guro ffyrnig ar y drws. Sythodd Adam a sychu ei ddwylo budr ar ei ofarôl frown. Roedd o'n dal, yn denau ac yn dywyll, diolch i'w wreiddiau Eidalaidd, gyda'r mymryn lleiaf o dro yn ei drwyn. Doedd Adam ddim yn disgwyl i neb alw heno a synnodd pan welodd Buddug Parry ar y rhiniog.

'Ydi Non yma?' cyfarthodd Buddug gan wthio heibio i Adam fel gafr ar d'rannau, cyn iddo gael cyfle i egluro nad oedd o wedi'i gweld. Edrychai Buddug

Parry yn erchyll, ei gwallt du'n hongian yn gudynnau blêr o gwmpas ei hwyneb budr. Roedd hi'n amlwg wedi styrbio a neidiodd Adam i'r casgliad fod rhywbeth wedi mynd o'i le gyda'r llawdriniaeth. Ond er syndod iddo, dywedodd Buddug fod Bryn yn mynd i fod yn iawn. Roedd Adam yn falch ond doedd hyn ddim yn egluro pam ei bod hi mor daer eisiau gwybod ble roedd Non.

'Ydi hi wedi dy ffonio di?'

'Naddo,' atebodd Adam mewn penbleth. 'Ro'n i'n meddwl ei bod hi yn y sbyty hefo chi.'

'Ti'n dweud y gwir, Adam? Achos os nag wyt ti...' Camodd Buddug yn nes ato a gadael i'r bygythiad grogi yn yr awyr.

'Yndw!' Trodd Adam y *techno* i lawr, ei lygaid glasddu fel dwy soser. 'Be sy 'di digwydd, Mrs P? Mae golwg y fall arnoch chi...'

'Dim!'

Gwyddai Adam ei bod hi'n rhaffu celwyddau. Fyddai hi byth wedi dod yr holl ffordd draw i Fur y Gof i chwilio am Non tra oedd Mr P yn yr ysbyty petai dim byd yn bod. A fyddai Non byth wedi gadael yr ysbyty yn syth wedi i'w thad gael llawdriniaeth heblaw fod rhywbeth o'i le. Rhywbeth mawr. Gofynnodd Adam eilwaith beth oedd yn bod ac edrychodd Buddug arno fel ci lladd defaid.

'Dowch 'laen, mae hi'n amlwg fod rhywbeth wedi digwydd, Mrs P...'

'Rhyngdda i a Non mae o!' brathodd Buddug.

'*Mae* 'na rywbeth wedi digwydd, felly...'

'Yli, mae hi'n ypsét a rhaid i mi ddod o hyd iddi…' Roedd tinc o ryfyg yn llais Buddug. 'Os daw hi yma, ffonia fi. Dim ots faint o'r gloch fydd hi. Mae o'n bwysig ofnadwy, Adam…'

Nodiodd Adam a diflannodd Buddug Parry fel cysgod i'r nos.

Roedd Adam yn anesmwyth wrth iddo yrru i lawr y brif ffordd i'r dref. Roedd o wedi ffonio a thecstio Non droeon ond roedd hi'n ei anwybyddu. Wnaeth hi erioed hynny o'r blaen. Byddai bob amser yn ateb Adam o fewn eiliadau ac roedd y distawrwydd yn ei ddychryn. Doedd Adam ddim yn deall pam na ddywedodd Mrs P wrtho beth oedd wedi'i hypsetio ond os oedd Non heb fynd adref, a heb ddod i chwilio amdano, gwyddai Adam ei bod hi ar ddisberod yn rhywle ac roedd o'n benderfynol o ddod o hyd iddi.

Am y siop *chips* ar sgŵar y dref roedd o'n anelu. Roedd hi'n fangre gyfarfod boblogaidd i Non a'i ffrindiau lle byddent yn casglu i fwyta *chips* ac yfed Coke. Gallai Adam weld fod criw bywiog yn cadw reiat y tu allan, er ei bod hi'n tynnu am hanner awr wedi deg. Roedd y bechgyn yn dangos eu hunain o flaen y genod yn ôl eu harfer, tra oedd rheini'n pincio fel peunod yn eu sgertiau cwta. Arafodd Adam y Corsa, gwthio'i ben drwy'r ffenestr a holi oedd rhywun wedi gweld Non. Gwahoddwyd y rhan fwyaf o'r criw i'r barbeciw ac roeddynt yn cymryd yn ganiataol fod Non yn dal yn yr ysbyty. Wnaeth Adam ddim trafferthu egluro'n wahanol a gan nad oedd neb wedi gweld lliw ohoni, trodd drwyn y car tua'r ffordd gul oedd yn rhedeg heibio i gastell y dref.

Roedd tafarn a werthai gwrw i gwsmeriaid dan oed yn swatio ym muriau'r castell ac âi Adam a Non yno weithiau i gael hanner peint bach slei. Bydden nhw'n gwneud i'r hanner bara am oriau wrth eistedd yng ngardd gwrw'r Angor yn edrych ar yr haul yn machlud dros afon Heli a gwyddai Adam fod y lle'n agos at galon Non. Yma y cawson nhw eu cusan gyntaf. Ond roedd yr ardd fel y bedd, heblaw am gwpwl ifanc oedd yn bwyta'i gilydd dan olau'r lloer.

Melltithiodd Adam. Roedd wedi gobeithio y byddai Non yno, ond doedd dim sôn amdani. Felly, gyrrodd Adam heibio ei hoff lefydd yn y dref – yr harbwr a Phont Slim, yr Hen Farchnad a Phorth Sêr, Mainc y Rhufeiniwr a Grisiau'r Gwyddel. Gwibiai ei lygaid drwy'r strydoedd ond doedd dim sôn am Non. Yna, tarodd pin y cloc petrol y coch ac ysgyrnygodd Adam. Doedd ganddo ddim arian i ail-lenwi'r tanc a gwyddai y byddai'n rhaid iddo droi tua thre.

Roedd hi'n tynnu am hanner awr wedi un ar ddeg erbyn hyn ac roedd anniddigrwydd Adam yn tyfu. Penderfynodd roi un cynnig arall ar ffonio Non ac wrth iddo dynnu i mewn i'r gilfach o flaen Parc Pwll i wneud yr alwad, gwelodd gysgod tywyll yn eistedd â'i gefn ato ar siglen. Byddai'n adnabod y gwallt crop brown a'r coesau siapus yn unrhyw le.

Canai ffôn Non yn ddi-baid wrth i Adam agosáu ond roedd hi'n ei anwybyddu'n benderfynol.

'Wnaiff y ffôn 'na ddim ateb ei hun...' meddai Adam a dychrynodd pan droellodd Non i'w wynebu. Roedd ei llygaid wedi chwyddo a strempiau o *kohl* yn baeddu ei bochau. 'Dy fam sydd yna, beryg,' ychwanegodd gan eistedd ar siglen arall. 'Mae hi'n poeni amdanat ti...'

'Mae hi wedi dweud wrthat ti be ddigwyddodd yn sbyty, felly,' meddai Non, ei llais yn drwm o ddagrau.

Ysgydwodd Adam ei ben ond gwyddai'n reddfol ei fod yn iawn i feddwl fod rhywbeth mawr o'i le. Ddywedodd Non ddim byd am dipyn, dim ond malu hances bapur damp yn ddarnau mân. Roddodd Adam ddim pwysau arni, dim ond eistedd yn dawel ddisgwylgar nes ei bod hi'n barod i siarad.

'Dim Dad ydi Dad...' dywedodd Non yn ddistaw.

Credai Adam ei fod wedi camddeall. Ond doedd o ddim ac roedd o wedi'i syfrdanu pan ddywedodd Non wrtho beth oedd wedi digwydd yn yr ysbyty.

'Ti wedi cam-ddallt! Wrth gwrs mai fo ydi dy dad di! Rhaid bod 'na ryw eglurhad syml. Wnest ti ddim hyd yn oed rhoi cyfle i dy fam egluro... Dim ond rhuthro o 'na! Mae hi bron â marw eisio siarad hefo chdi. Gad i mi fynd â chdi adra i ni gael sortio hyn...'

'Dwi ddim eisio'i gweld hi.'

'Fedri di ddim cuddio yn fan'ma trwy'r nos...'

'Dwi *ddim* eisio'i gweld hi...'

'Lle ti am fynd 'ta?'

'Ga i aros yn tŷ chi?'

Wyddai Adam ddim a fyddai ei fam yn gyfforddus â hynny. Doedd Non erioed wedi aros ym Mur y Gof o'r blaen, ond allai o ddim gwrthod. Pan dynnodd Adam hi i'w freichiau, glynodd Non ynddo fel gelen. Meddyliodd Adam na fyddai hi byth yn gollwng. Arweiniodd hi'n dyner at y car a'i rhoi i eistedd yn un swp digalon yn y sedd flaen. Yna, wrth iddo fynd rownd i sedd y gyrrwr, anfonodd decst slei at Buddug Parry yn dweud wrthi fod Non am dreulio'r noson ym Mur y Gof ac yn ei rhybuddio i gadw draw.

4

Roedd Adam ar goll mewn sach gysgu ar soffa ledr y lolfa, a Gio'r gath fach ddu wedi cyrlio'n gynnes yn ei gôl, pan ddaeth Non i lawr o'r llofft fore trannoeth. Roedd y wawr wedi torri ac yn gwthio llafnau o olau egwan drwy'r llenni melfed coch. Roedd twll du y grât yn wag a chrynodd Non wrth i oerni'r bore bach chwalu drwyddi. Brifai drosti. Roedd gwely sengl Adam yn galed fel haearn Sbaen a phrin roedd hi wedi cysgu. Un funud bu'n cicio'r cynfasau ymaith yn foddfa o chwys, a'r funud nesaf bu'n chwilio am gysur drwy eu tynnu'n dynn amdani. Taflodd i fyny yn y bin ar bwys y gwely ddwywaith ac er y gallai hi gael gwared o gynnwys ei stumog, allai hi ddim cael gwared o'r hyn a âi rownd a rownd yn ei phen.

Roedd popeth cyfarwydd yn estron bellach. Popeth y dibynnai hi arno yn ddieithr. Teimlai fel petai wedi ei rhwygo oddi ar yr angor y bu hi ynghlwm wrtho ers un mlynedd ar bymtheg a'i bod wedi ei thaflu ar fôr tymhestlog heb lyw. Wyddai hi ddim sut y dylai hi deimlo na sut y dylai hi ymateb, ac allai hi ddim dirnad sut y gallai Adam edrych mor dawel a digyffro yn ei gwsg tra oedd hithau ar chwâl. Mewiodd Gio'n ddioglyd pan welodd Non ac wrth iddo godi o'i nyth gynnes i hel mwythau, dihunodd Adam.

'Ers faint wyt ti'n fan'na?' gofynnodd.

'Dim llawer.'

'Sut ti'n teimlo bore 'ma?'

Gwnaeth wyneb taran Non i Adam sylweddoli ei fod wedi gofyn cwestiwn gwirion a symudodd i wneud lle iddi ar y soffa. Swatiodd hithau ato, gan dynnu Gio ar ei glin. Ddywedodd yr un o'r ddau air am dipyn, dim ond gwrando ar Gio'n canu grwndi. Yna, mentrodd Adam.

'Bydd rhaid i ti fynd i'w gweld nhw yn y sbyty bore 'ma, sti...'

Ysgydwodd Non ei phen.

'Does ganddyn nhw ddim syniad ble wyt ti...' Mentrodd Adam gelwydd golau. 'Fyddan nhw'n dychmygu bob math o bethau; yn poeni'u henaid nad est ti adra neithiwr...'

Cododd Non ei hysgwyddau'n ddi-hid. Ysai am frifo'i rhieni fel roedden nhw wedi'i brifo hi.

'Fyddi di wedi'u rhoi nhw drwy uffern...'

'Snap!' Fflachiodd tymer Non gan ddychryn Gio, a lamodd oddi ar ei glin. 'Gwranda, waeth i ti heb â deud 'mod i wedi cam-ddallt a bod yna eglurhad syml achos does 'na ddim.'

'Ond mae dy dad yn sâl yn y sbyty. Ti ddim eisio achosi mwy o boen iddo fo.'

'Dydi o ddim yn dad i mi, nadi!' harthiodd Non, ei llygaid yn fellt. 'Dyna'r pwynt!'

'Ella nad ydi o'n gwbod hynny,' cynigiodd Adam yn amddiffynnol. 'Ella bydd o wedi cael cymaint o sioc â ti?'

'Maddau i *ni* ddywedodd Mam. Ni! Felly mae hi'n

amlwg ei fod o'n gwbod! Mae o 'di rhaffu celwyddau wrtha i – yn union fel hi!'

Llygadodd Adam hi. Gwyddai fod Non yn fregus. Gwyddai y gallai chwalu'n ddarnau mân unrhyw funud a phetai hi'n gwneud hynny, wyddai o ddim sut i'w rhoi hi 'nôl at ei gilydd. Wyddai yntau ddim, fwy na Non, sut i ymateb i'r hunllef yma. Roedd o allan o'i ddyfnder ac ofnai ddweud rhywbeth fyddai'n gwneud pethau'n waeth.

'Gwranda, ella fod 'na reswm pam eu bod nhw wedi cadw hyn rhagddot ti,' mentrodd.

'Does 'na byth reswm dros ddweud celwydd!' Neidiodd Non ar ei thraed, wedi gwylltio'n gacwn.

'Ocê, ocê, paid â gweiddi arna i!'

'Paid â deud petha dwl 'ta! A phaid ag ochri hefo nhw!'

'Dwi ddim yn ochri hefo nhw! Dwi i ddim yn ochri hefo neb. Ond mae'n rhaid i ti fynd i'w gweld nhw neu fydd dy fam yn siŵr o ddod yma i chwilio amdanat ti...'

'Dydi hi ddim yn gwbod 'mod i yma, nadi,' poerodd Non, heb sylwi ar gysgod o euogrwydd yn croesi wyneb Adam.

'Nadi,' meddai. 'Ond dydi hi ddim yn ddwl. Mae hi bownd o alw.'

'Bydd rhaid ti ddweud celwydd wrthi felly, bydd...'

'Fedra i'm dweud celwydd wrthi!'

'Does ganddi *hi* ddim problem hefo hynny,' mynnodd Non.

‘Mae’n rhaid dy fod ti eisio gwybod sut mae dy…’ dewisodd Adam ei eiriau’n ofalus, ‘… sut mae Mr P bore ’ma.’

‘Roedd o’n iawn neithiwr…’

‘Ond rhaid dy fod ti eisio gwybod sut noson gafodd o. Drycha, dwi ddim am godi bwganod, ond mae o wedi cael homar o lawdriniaeth. Beth petai o ddim cystal heddiw?’

Rhythodd Non arno ac er gwaetha’i dicter, roedd ganddi gonsýrn yn y bôn am ei thad – neu’r hwn roedd hi’n meddwl oedd ei thad – er ei bod hi’n rhy flin i gyfaddef hynny.

‘Fedri di ddim claddu dy ben yn y tywod, Non. Mi fydd yn rhaid i ti eu hwynebu nhw. A rhaid fod gen ti gant a mil o gwestiynau…’

‘Cha i ddim ateb call, mae’n siŵr! Dim ond celwydd! Celwydd ar ben celwydd!’

‘Chei di ddim byd heb drio. Yli, ffonia nhw.’

Trodd Adam ffôn symudol Non ymlaen a dechreuodd y ffôn grynu wrth iddo gael ei bledu gan negeseuon a thecsts dirifedi. Ei mam oedd wedi gyrru pob un. Estynnodd Adam y ffôn iddi ond anwybyddodd Non ef a phan hwyliodd Mrs Franchi i mewn i’r lolfa, llithrodd Non yn ôl i ddiogelwch y llofft. Y peth olaf roedd hi ei eisiau oedd platiad o gig moch a wyau a galwyn o goffi, er fod Mrs Franchi’n mynnu y byddai’r saim yn falm i’w henaid.

Teimlai Bryn Parry'n gythreulig. Roedd y graith biwsgoch hyll ar ei abdomen yn dendar a gwaedlyd ond doedd y boen a ergydiai drwy ei gorff yn ddim i'w chymharu â'r boen a andwyai'i feddwl.

'Ddylai hi byth fod wedi ffendio allan fel gwnaeth hi, Budd. Byth bythoedd, amen,' meddai'n floesg gan wlychu ei enau gyda chegiad o'r sgwash di-flas roedd Buddug wedi'i estyn iddo mewn cwpan blastig.

'Dwi'n gwbod.' Roedd Buddug yn troelli cudyn o wallt yn gwlwm o gwmpas ei bys unwaith eto.

'A hynny ar ddiwrnod ei phen-blwydd.' Ysgydwodd Bryn ei ben mewn anghrediniaeth. 'Pen-blwydd hapus – *not*.'

'Dwi'n mynd i fynd draw i dŷ Adam yn syth o fan 'ma.'

'Dwi ddim eisio i ti fynd dy hun.'

'Fedri di ddim dod hefo fi, na fedri!' meddai Buddug ac roedd tinc cyhuddgar yn ei llais, er ei bod hi'n gwybod na allai Bryn godi o'i wely.

Griddfanodd yntau wrth i'w graith roi plwc a difarodd Buddug yn syth.

'Sori, do'n i ddim yn trio swnio'n flin...' Ond roedd meddwl am wynebu Non ar ei phen ei hun yn codi ofn arni.

Codai ofn ar Bryn hefyd. Codai'r holl sefyllfa ofn arno. Cymerodd gegiad arall o'r sgwash.

'Ti wedi clywed gan Adam ers neithiwr?' gofynnodd.

'Na, ond o leia mi wyddon ei bod hi'n saff. Roedd hi

mewn coblyn o stad ac ella bydd hi wedi cael amser i bwyllo erbyn hyn.'

Gwyddai Buddug ei bod hi'n bod yn oroptimistig ond roedd hi angen rhyw lygedyn o obaith i gydio ynddo a chydiodd ynddo'n dynn.

'Alla i ddim credu fod hyn wedi digwydd...' melltithiodd Bryn ei hun. 'A phetawn i heb faglu...'

'Fyddech chi wedi cario mlaen i ddweud celwydd.' Torrodd llais miniocach na chleddyf ar ei draws.

Trodd Bryn a Buddug i weld Non yn sefyll yn nrws yr ystafell fach breifat. Bu distawrwydd am ennyd wrth i'r tensiwn dasgu. Yna, saethodd Buddug ar draws yr ystafell a thaflu ei breichiau o gwmpas Non. Ond roedd Non yn stiff fel procer. Gwnaeth hi'n amlwg fod unrhyw gyffyrddiad corfforol yn wrthun iddi ac ymfalchïodd o weld y siom yn llygaid ei mam. Trodd at y gwely.

'Ti'n well, dwi'n gweld...'

'Dwi'n well o dy weld ti,' atebodd Bryn. 'Rhaid i ni siarad...'

Siarad oedd y peth olaf yr oedd Non eisiau ei wneud. Ond ysai am atebion, yn ogystal ag arswydo rhagddynt ar yr un pryd. Gwyddai y byddai'n rhaid iddi gael atebion yn hwyr neu'n hwyrach ac roedd Adam wedi'i pherswadio y byddai'n brifo'i hun yn fwy na Buddug a Bryn drwy gadw draw.

Gwyddai Non na allai guddio a chladdu ei phen yn y tywod am byth, felly gadawodd i Adam ei gyrru draw i'r ysbyty wedi i ail alwyn o goffi Mrs Franchi fynd yn drech na hi. Ond y munud y cyrhaeddon nhw'r maes parcio, cafodd Non draed oer. Bu'n eistedd yn y Corsa bach coch gydag Adam am bron i ddwyawr yn gwylio'r glaw yn pistyllio y tu allan. Bu Non yn astudio'r dafnau dŵr yn treiddio i lawr ffenestr flaen y car, cyn iddi lwyddo i fagu digon o blwc i fynd i mewn i'r ysbyty. A doedd hi ond wedi cytuno i wneud hynny ar yr amod fod Adam yn aros amdani y tu allan yn barod i'w gyrru oddi yno ar fyr rybudd.

Gwrthododd Non eistedd pan ofynnodd Buddug iddi wneud hynny a safodd ym mhen pella'r ystafell gan danlinellu'r gagendor oedd wedi agor rhyngddi hi a'i rhieni. Roedd ganddi gant a mil o gwestiynau ond yn sydyn, allai hi ddim meddwl am yr un. Teimlai'n unig, er ei bod hi gyda'r ddau berson yr oedd hi agosaf atyn nhw yn y byd i gyd.

Rhuai'r distawrwydd.

'Wn i... ym... ddim ble i ddechrau...' dechreuodd Bryn pan aeth y distawrwydd yn ormod, 'ond rhaid i ti ddallt mai cadw hyn rhagddot ti am ein bod ni'n dy garu di wnaethon ni.'

'Os ti'n caru rhywun, ti ddim yn dweud celwyddau!' chwyrnodd Non.

'Os ti'n caru rhywun, ti'n trio gwneud y peth gora iddyn nhw,' adleisiodd Buddug eiriau Bryn yn gwbl ddiffuant. 'A dyna'r cwbl rydan ni wedi drio'i wneud – o'r cychwyn cynta.'

'A'r peth gora ydi gadal i mi gredu ar hyd fy mywyd mai chdi ydi 'nhad i, ia?' Trodd Non i herio Bryn. 'Er fod hynny'n gelwydd noeth!'

'Fi ydi dy dad di. Wnaiff hynny byth newid...'

'Mae o wedi newid yn barod!' Anelodd Non saeth i galon Bryn. Roedd hi eisiau ei frifo, a llwyddodd.

Cafodd Bryn bwl o dagu ond roedd Non fel dur.

'Paid â meddwl fod hynna'n mynd i weithio! Dydi'r ffaith dy fod ti'n sâl ddim yn esgusodi be ti a *honna* wedi'i wneud!'

'Dydi o ddim yn trio esgusodi dim byd,' meddai Buddug gan estyn llymaid o sgwash i Bryn. 'Ond cofia fod dy dad yn ddyn sâl.'

'Dydi o ddim yn dad i mi!' ffrwydrodd Non. Fel arfer câi bryd o dafod am godi'i llais, ond heddiw ddywedodd neb ddim. 'Dydw i jest ddim yn dallt,' meddai gan dawelu, yn ddryswch i gyd. 'Dydi o'm yn gwneud synnwyr. Mae 'na luniau yn y tŷ o'r tri ohonon ni funudau wedi i mi gael fy ngeni yn y sbyty...' Yna, trodd i edrych ar Buddug a'i chyhuddo. 'Be wnest ti, Mam? Cael affêr?'

'Naci!' amddiffynnodd Buddug ei hun yn syth. 'Doeddan ni ddim hefo'n gilydd pan wnes i feichiogi...'

'Ond ti wastad wedi dweud mai dim ond un cariad ti erioed wedi'i gael,' saethodd Non yn ôl, yn fwy dryslyd byth. 'Rydach chi hefo'ch gilydd ers eich bod chi'n un ar bymtheg...'

'Un cariad dwi wedi'i gael. Ond wahanon ni am gyfnod...'

Roedd Non ar goll. Roedd hi dan yr argraff eu bod nhw wedi bod gyda'i gilydd byth ers eu dêt cyntaf yn y siop *chips* ar sgwâr y dref ac roedd hi wedi meddwl fod hynny'n rhamantus. Ond roedd hi'n amlwg mai celwydd oedd hynny hefyd.

'Doedd petha ddim wedi bod yn iawn rhyngon ni am sbel,' eglurodd Bryn, 'a wnes i ddim troi fyny i gyfarfod dy fam un noson. Roeddan ni fod i fynd i ddawns Bob Delyn yn Dempsey's am wyth ond bu raid i mi weithio'n hwyr. Doedd o mo'r tro cyntaf ac mi wylltiodd dy fam. Pan wnes i gyrraedd 'chydig cyn stop tap wnaeth hi 'nghyhuddo i o beidio rhoi digon o sylw iddi. Yn sydyn, trodd dadl fach wirion yn glincar o ffrae. Ddaru ni orffan yn y fan a'r lle.'

'Ac ro'n i mor flin, wel...' ochneidiodd Buddug gan fethu dod o hyd i'r geiriau.

'Est ti efo rhywun arall y noson honno,' meddai Non gan roi dau a dau at ei gilydd.

'A difaru'n syth,' ychwanegodd Buddug gan edrych i ffwrdd mewn cywilydd. Doedd cyfaddef hyn i'w merch ddim yn hawdd, yn enwedig pan oedd honno'n gwneud dim i guddio'i ffieidd-dod. 'Un noson oedd hi a fues i'n gwbl onest efo Bryn. Lwyddon ni i batsho petha i fyny ac roeddan ni newydd fynd yn ôl at ein gilydd pan wnes i ddarganfod 'mod i'n disgwyl...'

Rhythodd Non ar Buddug gan geisio gwneud synnwyr o'r hyn roedd hi newydd ei ddweud. Rasiai ei meddwl i bob cyfeiriad ond ddywedodd hi ddim. Wyddai hi ddim beth i'w ddweud.

'Wnes i fynd oddi ar y rêls ar ôl i mi ffendio allan,' cyfaddefodd Bryn, gan dorri ar y distawrwydd. 'Methu ymdopi.'

Gwingodd Non a suddodd ei chalon. 'Roeddat ti'n fy nghasáu i.'

'Wnes i erioed dy gasáu di.'

'Casáu Mam 'ta…'

Ochneidiodd Bryn. 'Waeth mi heb â smalio,' meddai'n dawel. 'Wnes i ei chasáu hi am dipyn, do. Casáu be roedd hi wedi'i wneud. Ro'n i'n flin. Chwerw. Ffraeo hefo pawb a phopeth. Cwffio efo 'nghysgod.'

'Do'n i'n gweld dim bai arno fo,' ategodd Buddug. 'Ro'n inna'n casáu'n hun ac mi chwalon ni eto.'

'Ond, yn y diwedd, ro'n i'n methu byw hebddi,' cyfaddefodd Bryn, ei lais yn crygu wrth iddo edrych ar Buddug. Rhoddodd hithau wên dynn iddo a gwthio cudyn o'i gwallt y tu ôl i'w chlust. 'Felly, aethon ni'n ôl at ein gilydd cyn i ti gael dy eni. Ond roedd 'na un amod. Do'n i ddim eisio i neb wbod nad fi oedd dy dad di.'

'Pam?' brathodd Non.

'Ro'n i ofn i bobl wneud hwyl am fy mhen i…' atebodd Bryn gan syllu i fyw llygaid Non. 'Dychmyga beth fydden nhw wedi'i ddweud petaen nhw'n gwbod 'mod i'n cymryd dy fam yn ôl a hithau'n disgwyl babi rhywun arall.'

'Doedd o'n ddim o'u busnes nhw!'

'Nag oedd. Ti'n iawn. Ond wsti sut gall pobl fod. Busnesu. Styrio. Dweud petha brwnt. Petha sy'n brifo. Fydda'r hogia ar y seit wedi meddwl 'mod i'n idiot. Wedi rhwbio halen yn y briw.'

'Do'n i ddim am roi dy dad drwy hynny,' torrodd Buddug ar ei draws.

'Felly roedd yn well ganddoch chi ddweud celwydd er mwyn cadw wyneb!' Doedd Non erioed wedi meddwl am y ddau fel pobl hunanol. Ond gwawriodd arni mai dyna beth oedden nhw. Hunanol, celwyddog, dichellgar.

'Roedd hi'n haws dweud celwydd,' eglurodd Buddug. 'Roeddan ni wedi bod drwy uffern. Y peth ola roeddan ni eisio oedd i rywun roi mwy o bwysa arnon ni. Gwenwyno petha. Roeddan ni'n trio ailafael mewn petha, yn trio paratoi ar gyfer babi bach newydd. Ac wedyn pan ddoist ti, wel, wnest ti droi'n bywyda ni ben i lawr.'

Gwenodd Bryn wrth gofio. 'Chdi oedd y saith pwys bach mwya swnllyd i wisgo *babygro* erioed,' meddai. 'Chysgon ni ddim winc am dridia...'

'Roeddan ni fel sombis yn dod adra o'r sbyty...' ychwanegodd Buddug, ond doedd gan Non ddim diddordeb mewn hel atgofion oedd bellach yn sur.

'Ddylech chi fod wedi dweud wrtha i yr eiliad ro'n i'n ddigon hen i ddeall!' mynnodd. 'Ella faswn i ddim wedi meddwl am y peth wedyn. Mae 'na gannoedd o bobl yn yr un sefyllfa. Fydda fo ddim yn *big deal...*'

Ond rŵan roedd o'n anferth o *big deal,* a gwyddai Bryn a Buddug hynny hefyd.

'Roeddan ni wedi bwriadu dweud wrthat ti,' eglurodd Bryn. 'Dyna oedd y cynllun o'r cychwyn cynta, ond pan anwyd Ela flwyddyn ar dy ôl di, newidiodd pob dim. Doeddan ni ddim eisio gwahaniaethu rhwng y ddwy ohonoch chi...'

'Ond mae 'na wahaniaeth! Mae gennon ni dadau gwahanol! A rydach chi wedi bod yn rhaffu celwydda wrthi hithau hefyd, do?'

'Wnawn ni siarad hefo Ela,' addawodd Buddug. 'Egluro...'

'Egluro sut ydach chi wedi difetha bob dim?' coethodd Non. 'Chi sy wastad yn pregethu pa mor bwysig ydi dweud y gwir ond rŵan fedra i ddim credu gair rydach chi'n ei ddweud!'

'Tria ddallt, Non – roedd arnan ni ofn. Ofn dy ypsetio di,' llediodd Buddug. 'Roeddat ti'n hogan fach mor hapus, yn chwerthin drwy'r adeg. Beryg basa gollwng bom fel 'na'n chwalu bob dim. Ocê, ddylen ni fod wedi dweud wrthat ti, ond roeddan ni ofn i ti bellhau oddi wrth dy dad. Roeddat ti'n ei ddilyn o fel cysgod i bob man ac roeddan ni ofn i ti droi rownd a'i wrthod o. Ac ofn creu rhwyg rhyngddat ti ac Ela hefyd. Roeddach chi'ch dwy mor agos ac mi fyddai newyddion fel 'na wedi medru gwneud i ti droi arni. Cenfigennu. Ei chasáu hi hyd yn oed. Fysa rwbath wedi medru digwydd, felly yn y diwadd roedd hi'n haws dweud dim.'

Brwydrodd Non i wneud synnwyr o'r hyn ddywedodd ei mam ond swniai'r rhesymau fel esgusodion tila, gwan.

'Fedran ni ddallt dy fod di'n flin,' mentrodd Bryn ond trodd Non arno gyda holl ryferthwy ei gwylltineb.

'Blin?' gwaeddodd gan grynu â dicter cyn iddi oedi am ennyd a ffrwyno'i thymer. Tynhaodd bob gewyn yn ei chorff wrth iddi edrych o'r naill i'r llall ac roedd hi fel delw wrth iddi sibrwd, 'Dydi blin ddim yn dod yn agos ati.'

Gwingodd Bryn a Buddug. Roedd sgrechian a gweiddi yn un peth, ond roedd yr oerni yn llygaid Non yn gwneud iddyn nhw deimlo'n waeth. Gwyddent eu bod ar fai ac na ddylent fod wedi cadw cyfrinach. Ond gwneud hynny er lles Non wnaethon nhw. Er mwyn ei hamddiffyn. Dweud celwydd am eu bod nhw'n ei charu hi wnaethon nhw. Oedd hynny'n beth mor ofnadwy? Roedd Non yn amlwg yn credu hynny ac ofnai Bryn a Buddug na fyddai hi byth, byth yn medru maddau iddynt. Ofnent hefyd ei bod hi am ofyn yr un cwestiwn nad oedden nhw eisiau ei ateb, ac fe wnaeth hi.

'Pwy ydi 'nhad geni i 'ta?'

Tawelwch.

'Pwy ydi o?'

Ddywedodd Buddug na Bryn ddim gair.

'Gen i hawl i gael gwbod! Mae o'n gwbod amdana i, yndi?'

Edrychodd Bryn ar Buddug ac allai hithau ddim gwadu. 'Yndi. Ond dydi o rioed wedi dy weld di a dydi o ddim werth ei adnabod. Fyddai o'n gwneud dim byd ond dy frifo di, pwt.'

'O, a dydach chi'ch dau ddim wedi gwneud hynny, wrth gwrs!'

Dechreuodd tymer Non gydio unwaith eto ac osgôdd Bryn edrych arni, tra dechreuodd llygaid Buddug lenwi.

'Gen i hawl i gael gwbod!' dywedodd Non yn danbaid. 'Felly, dudwch wrtha i!'

Ond roedd Buddug yr un mor danbaid wrth iddi wrthod gwneud hynny. 'Ma gen ti dad!' bloeddiodd.

'Oes, ond dim *fo* ydi o, naci!' bloeddiodd Non yn ôl cyn taranu heibio i wely Bryn ac allan o'r ystafell fechan. Clepiodd y drws a syllodd Buddug a Bryn yn gegrwth ar ei hôl.

5

Wythnos wedi i Bryn ddychwelyd adref o'r ysbyty roedd yr awyrgylch yn 7 Cefn Heli yn drydanol. Parhâi Bryn a Buddug i wrthod dweud wrth Non pwy oedd ei thad geni ac o ganlyniad, roedd Non mewn hwyliau ffiaidd, yn mynnu fod ganddi hawl i wybod y gwir. Âi pawb a phopeth ar ei nerfau a phrin y torrai air â neb. Ciliodd i ddistawrwydd cyhuddgar, gwenwynig.

Roedd Non wedi disgwyl i Ela ymuno â hi yn y rhyfel oer yn erbyn ei rhieni ac roedd hi'n bachu ar bob cyfle i geisio'i throi yn eu herbyn. Ond er fod Ela wedi'i styrbio'n lân yn sgil y dadleniad i ddechrau, doedd hi ddim yn flin nac yn gas. Gallai ddeall dyhead ei rhieni i'w thrin hi a Non yr un fath a gwyddai'n iawn pa mor galed oedd cyfadde'r gwir pan oedd hi'n haws dweud dim. Wedi'r cwbl, ddywedodd hi 'run gair pan gollodd hi hoff freichled Non yn y parc llynedd, wedi iddi'i benthyg heb ofyn, ac er y gwyddai Ela nad oedd y sefyllfa'n cymharu, gallai werthfawrogi pam roedd ei rhieni wedi cadw'n dawel. Ysai Ela i adeiladu pontydd rhyngddyn nhw gan fod yn gas ganddi unrhyw anghydfod, ond chwalai Non bob un o'i hymdrechion.

'Gen i hawl i gael gwbod pwy ydi 'nhad i, siawns?' rhefrodd Non wrth chwilio am bensel *kohl* ym mag colur Ela, tra ymlafniai hithau i sythu ei chwmwl o gyrls tyn gyda'i sythwr.

'Dydi o'm werth ei adnabod meddai Mam.'

'Meddai *hi*? Ar ôl ei chelwydd mawr hyll? Beth am Bryn?'

Roedd Non wedi dechrau galw Bryn wrth ei enw cyntaf gan y gwyddai ei bod yn ei frifo wrth beidio'i alw'n Dad. Roedd darn bychan ohono'n marw bob tro y gwnâi Non hynny ond ofnai ei herio, rhag ei hypsetio'n waeth.

'Ella bod ti'n well allan ddim yn gwbod, sti.' Adleisiodd Ela ddadl ei rhieni. 'Ti wedi byw'n iawn am un mlynedd ar bymtheg a thitha ddim callach.'

'Fasat *ti* ddim eisio gwbod yn fy sefyllfa i?'

'Na, dwi'm yn meddwl baswn i. Mae Mam a Dad wedi dweud mai cael dy frifo fysat ti a chei di ddim tad gwell na'r un sy ganddon ni.'

'Digon hawdd i ti ddweud hynny, dydi!' arthiodd Non gan fachu'i ffêr yn weiren y sythwr gwallt wrth gipio'r bensel *kohl* o'r bag. Hedfanodd y sythwr a glanio ar y carped gyda sbarc.

'Drycha be ti wedi neud!' Cythrodd Ela am y sythwr wrth i bwff o fwg ac arogl llosgi lenwi'r ystafell.

'Wnes i ddim trio...'

'Gostiodd o ddeugain punt!' llefodd Ela.

'O, *chillax*! Dydi o ddim yn ddiwedd y byd.'

Ond teimlai fel diwedd y byd i Ela gan fod hanner ei gwallt yn syth fel procer tra bod yr hanner arall yn gwmwl o gyrls du, tyn. Edrychai fel hanner meicroffon.

'Dad, mae Non wedi torri'n sythwr i!' bloeddiodd ac wedi ennyd, stryffaglodd Bryn i'r drws. Roedd symud yn dal yn anodd iddo a phlagiai'r graith biwsgoch bob cyfle.

'Wnaeth hi ddim trio, dwi'n siŵr,' meddai gan geisio cysuro Ela wrth i Non wthio heibio iddo a stompio i lawr y grisiau.

'Fydd rhaid mi gael sythwr newydd rŵan!' mynnodd Ela. 'A geiff *hi* dalu amdano fo!'

'Wna i dalu, Els.' Ceisiodd Bryn ei hesmwytho ond doedd hynny'n plesio dim.

Roedd Ela am i Non gael ei chosbi ond gwyddai na fentrai ei rhieni roi pryd o dafod iddi. Roedden nhw'n cael eu bwyta gan euogrwydd ac ofnent gynhyrfu'r dyfroedd ymhellach.

'Gaiff Non wneud beth bynnag mae hi eisio rŵan! A dydi o ddim yn deg,' cwynodd Ela gan sorri'n bwt a diflannu i'r ystafell ymolchi i frwydro â'i gwallt.

Edrychodd Bryn ar Buddug wrth iddi suo i fyny'r grisiau i weld beth oedd wrth wraidd y ffraeo a gwyddai'r ddau fod Ela'n iawn. Ond wyddai'r un o'r ddau sut i wneud pethau'n well.

Aeth pethau o ddrwg i waeth dros y dyddiau nesaf. Parhâi Non i fod yn biwis a chroes gan wybod yn iawn na châi hi bryd o dafod am gamfihafio. Stopiodd helpu o gwmpas y tŷ a dechreuodd godi'n hwyr i fynd i'w gwaith gwyliau yn gweini yng nghaffi Sbargos. Cychwynnodd fynd i bartïon ganol wythnos a dod adre yn oriau mân y bore ac roedd hi'n benderfynol o aros dros nos yn nhŷ Adam bob cyfle gâi hi gan y gwyddai fod Bryn a Buddug yn anghyfforddus â hynny. Taflai Non eu brad i'w hwynebau gan ei gwneud hi'n amhosibl cael sgwrs gall am ddim heblaw pwy oedd ei thad geni. Gwthiai'r ffiniau bob cyfle, ac er nad oedd mynd allan i bartïo yn gwneud dim lles i Adam gan ei fod fel llipryn yn y garej y bore canlynol, doedd ganddo mo'r galon i wrthod mynd gyda Non. Roedd o'n poeni amdani a doedd yntau, mwy na hithau, ddim yn deall pam na fyddai Bryn a Buddug jest yn dweud wrthi pwy oedd ei thad geni.

'Fydd yr hogan 'na wedi colli pob rheolaeth os na ffrwynwch chi hi, Budd,' cyhoeddodd Nain Gloria drwy gwmwl o fwg Lambert & Butler wrth sipian coffi du yng nghegin 7 Cefn Heli tra oedd Bryn yn y llofft yn cael cyntun. 'Dylech chi fod wedi dweud y gwir wrthi o'r cychwyn cynta! Ddudish i, do…'

'Ocê, ocê, dydi edliw ddim yn mynd i helpu, nadi Mam,' atebodd Buddug a'i phen yn ei phlu a theimlodd Nain Gloria i'r byw dros ei merch. Efallai ei bod hi a Bryn wedi gwneud camgymeriad yn celu'r gwir oddi wrth Non, ond gwneud hynny am eu bod yn ei charu hi wnaethon nhw; gwneud hynny am eu bod eisiau ei hamddiffyn. Gallai Nain Gloria ddeall hynny. Roedd hithau'n rhiant ac roedd yn gas ganddi weld ei merch yn dioddef.

'Dwi'n gwbod 'mod i'n ei brifo hi ond alla i ddim dweud wrthi pwy ydi'i thad geni hi, na alla? Dwi ddim eisio codi hen grachod a dod â'r bwbach 'nôl i'n bywyda ni. Mi fyddai o'n drychineb iddi hi a dychmygwch beth fyddai o'n ei wneud i Bryn! Mi fyddai hynny'n ei ladd o!'

Gwyddai Nain Gloria ei bod hi'n iawn. Roedd Bryn yn ddyn balch. Bu'n un o fil i gymryd Buddug yn ôl wedi iddi feichiogi – byddai'r rhan fwyaf o ddynion wedi cymryd y goes – a gwyddai Nain Gloria nad ar chwarae bach y gwnaeth o hynny. Byddai'n fythol ddiolchgar iddo am beidio troi cefn arni a gallai ddeall na chymerai Buddug bris y byd am ei frifo eto. Ond drwy gelu'r gwir, roedd Buddug yn brifo Non. Roedd hi mewn sefyllfa amhosib.

'Ydi Non wedi dweud wrth rywun?' holodd drwy gwmwl arall o fwg.

'Naddo. Heblaw am Adam a'i fam. Gormod o gywilydd, medda hi. Dydi hi ddim eisio i'w ffrindia wbod 'mod i a Bryn yn "gachgwn"...'

Clywodd Nain Gloria y loes yn llais Buddug wrth iddi ddyfynnu Non. Estynnodd am ei llaw a'i gwasgu. 'Rhaid i ti sortio'r llanast 'ma rywsut, del...'

'Sut?'

'Dwn i'm, ond dydi'r *stress* yn gwneud dim lles i Bryn. Mae o'n dal yn sâl, cofia, ac mae'r awyrgylch yn y tŷ 'ma fel yr Arctig. Fydd rhaid ti gael trefn ar Non cyn iddi wneud mwy o lanast hefo'r holl gamfihafio yma...'

Nodiodd Buddug wrth i gloch drws y ffrynt ganu. Prysurodd i'w ateb a phan agorodd y drws fe'i gwlychwyd gan gawod o boer a saethodd drwy fwstásh coch. Safai

Paddy Pen Dafad, tad Peter Pen Dafad, ar y rhiniog yn dal coeden biws racs yn ei ddwylo.

'Sbïwch!' harthiodd. 'Sbïwch ar fy *beautiful japonica* i! Dwi 'di tyfu hon o had a sbïwch! Mae'n *knackered*!'

Syllodd Buddug yn syn ar y deiliach, heb ddeall yn iawn pam roedd hi'n edrych ar y gyflafan biws.

'*Your girl did this*! Meddwi'n rhacs yn tŷ ni neithiwr a disgyn ar y *japonica* yn yr ardd a'i snapio hi! Ma'r peth yn *disgusting*! *Absolutely disgusting*! *I could've won prizes with this plant*!'

Bwriwyd Buddug oddi ar ei hechel yn llwyr ond daeth y bytheirio â Bryn ac Ela i lawr o'r llofft a Nain Gloria drwodd o'r gegin.

'Bydd rhaid i fi gael compo! *Thirty-five quid* neu bydda i'n ffonio'r *boys in blue*! *Criminal damage*!'

'Wnaethon ni ddim ffonio'r heddlu llynedd pan roddodd dy hogyn di'i droed drwy'n teli ni,' sgwariodd Bryn i fyny iddo, er gwaetha poen ei graith.

'Ia, wel, *Peter's learned his lesson*! *Doesn't touch alcohol* rŵan!'

'Gafodd o barti heb lysh? Ar ba blaned ti'n byw, mêt?' gofynnodd Bryn, yn barod am ffrae, ond y peth olaf roedd Buddug ei eisiau oedd mwy o dwrw.

'Jest tala, Bryn,' meddai'n ddistaw.

'E?'

'Tala iddo fo.'

Gallai Bryn weld y straen ar wyneb Buddug a'r peth olaf roedd o ei eisiau oedd rhoi mwy o bwysau arni, felly gwthiodd bentwr o bapurau pumpunt i ddwylo chwyslyd Paddy Pen Dafad, yn grediniol ei fod o'n llwyr haeddu ei lysenw.

Cipiodd yntau'r arian ac wrthi iddo ddiflannu i lawr llwybr yr ardd yn grwgnach cymaint o *liability* oedd Non, cafodd Ela ysfa i chwerthin. Roedd hi wedi clywed am obsesiwn Paddy Pen Dafad â'i blanhigion. Ef oedd ffan mwyaf *Byw yn yr Ardd*, ond roedd y cap gweu clustiau cŵn a wisgai fel teyrnged i Russell Jones yn gwneud iddo edrych yn hanner pan.

'Rhaid bod Non mewn coblyn o stâd neithiwr,' meddai Buddug. 'Ac mae'r camfihafio 'ma'n stopio rŵan.'

Roedd tŷ'r Franchis yn wag. Roedd Mrs Franchi wrth ei gwaith yn coginio yn yr Eidal Fawr, Mr Franchi'n dal i weithio i ffwrdd ar y rig olew ac Adam wedi picio allan i brynu peint o lefrith yn Spar. Eistedd ar stepen y drws ffrynt yn aros iddo ddychwelyd gan fagu'r cur pen o uffern oedd Non pan welodd hi Buddug yn brasgamu'n fân ac yn fuan i lawr y stryd. Yr eiliad y gwelodd hi wep ei mam, gwyddai Non fod Paddy Pen Dafad wedi bod draw'n achwyn am ei *japonica* yn unol â'i fygythiad a doedd hi ddim mewn hwyliau am bregeth. Roedd ei phen hi'n corcio, diolch i'r caniau seidr lowciodd hi neithiwr, ac roedden nhw wedi gwneud iddi deimlo'n ganmil gwaeth yn lle gwell.

Ond yn hytrach na rhoi pryd o dafod i Non, y cwbl wnaeth Buddug Parry oedd eistedd i lawr. Roedd stepen y drws ffrynt yn gynnes a ddywedodd Buddug ddim gair am hir iawn, dim ond syllu ar res o forgrug yn cripian yn brysur heibio i stepen y drws i'w cartref y tu ôl i'r pot begonia, eu bywyd yn braf.

Wedi munudau hir o ddistawrwydd, teimlai Non reidrwydd i ddweud rhywbeth.

'Siŵr fod Paddy Pen Dafad yn poeri tân…'

Nodiodd Buddug. 'Gêm beryg i ddyn efo mwstásh…' meddai ac, am eiliad, gwenodd y ddwy wrth i'w llygaid gwrdd. Y wên gyntaf iddyn nhw ei rhannu ers dyddiau. Yna difrifolodd Buddug.

'Dwi'n poeni amdanat ti, pwt. Ti 'rioed wedi meddwi o'r blaen…'

Roedd hynny'n wir. Er ei bod hi dan oed, roedd Non wedi arfer cael ambell hanner peint ond doedd hi erioed wedi meddwi ac roedd yn gas ganddi'r teimlad o golli rheolaeth. Roedd pawb yn smalio fod meddwi'n cŵl, ond mewn gwirionedd roedd o wedi gwneud i Non deimlo'n sâl fel ci.

'Dwi ddim yma i ffraeo,' ychwanegodd Buddug yn rhesymol. 'Dim ond dweud na fedri di gario mlaen fel'ma. Dwi'n gwbod bod ti'n flin ac wedi dy siomi – ac mae'n ddrwg calon gen i am hynny – ond ti'n brifo neb ond chdi dy hun efo'r holl gamfihafio 'ma. Mi golli di dy job yn Sbargos os wnei di droi i fyny yn hwyr eto ar ôl bod allan yn meddwi'n wirion.'

'Wel, eich bai chi fydd o!' cyhuddodd Non.

'Naci, dy fai di. Ti'n ddigon hen i gymryd cyfrifoldeb.'

'Os dwi'n ddigon hen i gymryd cyfrifoldeb, dwi'n

ddigon hen i wbod pwy ydi 'nhad iawn i, dydw!' saethodd Non yn ôl.

'Waeth ti heb â rhefru achos wna i ddim dweud wrthat ti. Ti ddim eisio'r bwbach yn dy fywyd! Trystia fi.'

'Dwi ddim yn dweud 'mod i eisio fo 'nôl yn fy mywyd! Dwi jest eisio gwbod pwy ydi o! Ydi hynny'n beth mor ofnadwy?' Newidiodd y tinc cyhuddgar yn llais Non yn erfyn taer. 'Plis, Mam. Pam na wnei di jest dweud?'

Ond ysgwyd ei phen wnaeth Buddug. 'Ti'n gwbod pam. Achos dy frifo di fydda fo.'

'Sut ti'n gwbod? Wnaeth o dy frifo di?'

Edrychodd Buddug draw a gwyddai Non ei bod hi wedi taro'r hoelen ar ei phen. 'Be ddwedodd o pan wnest ti ddweud dy fod ti'n disgwl?'

'Dwi'm yn cofio,' meddai Buddug, er fod ei eiriau cïaidd wedi'u serio ar ei chof. Fe'i galwodd hi'n bob enw dan haul. Fe'i brifodd. Fe'i bychanodd. Ac ofnai Buddug y byddai'n gwneud yr un peth i Non petai hi'n mynd i chwilio amdano. 'A doedd o ddim eisio gwbod amdanat ti, reit, felly anghofia amdano fo.'

'Fedar petha newid mewn un mlynedd ar bymtheg!' mynnodd Non gan wthio am fwy o fanylion, ond waeth iddi daro'i phen yn erbyn wal frics achos roedd Buddug yn benderfynol o droi'r stori o'r gorffennol i'r presennol.

'Na! A dwi ddim eisio i ti aros efo Adam heno 'ma, chwaith,' ychwanegodd. 'Dwi eisio i ti ddod adra, cyn i ti neud mwy o lanast o betha.'

'Be ti'n feddwl, "llanast"?'

'Ti'n rhy ifanc i aros draw yn nhŷ dy gariad.'

'Ti newydd ddweud 'mod i'n ddigon hen i gymryd cyfrifoldeb! Alli di mo'i chael hi ddwy ffordd!'

'Drycha, dwi jest ddim eisio i ti wneud yr un camgymeriad â fi. Dwi'n gobeithio dy fod ti ac Adam yn ofalus os ydach chi'n... wel, wsti...'

'Camgymeriad?' ebychodd Non gan sylweddoli fod Buddug ofn iddi feichiogi. 'Camgymeriad! Fel 'na ti'n meddwl amdana i? Fel camgymeriad?'

Sylweddolodd Buddug ei bod wedi rhoi'i throed ynddi. 'Do'n i ddim yn ei olygu o fel'na...' cloffodd. 'Poeni amdanat ti ydw i.'

Ond roedd tymer Non wedi'i gynnau a llamodd ar ei thraed gan sathru'r rhes o forgrug yn slwj. Pigai'r dagrau ei llygaid mawr brown.

'Wel, sdim eisio i ti boeni am dy *gamgymeriad*!' bloeddiodd Non gan lamu dros stepen y drws. 'Dos o 'ma, Mam.'

'Non!' Llamodd Buddug hithau ar ei thraed. 'Ti wedi cam-ddallt! Dwi jest ddim eisio i ti gymhlethu mwy ar dy fywyd, dyna i gyd!'

Ond doedd Non ddim yn gwrando. Y cwbl a glywai oedd y gair 'camgymeriad' yn chwyrlïo yn ei phen. Caeodd y drws ffrynt yn glep a beichio crio. Roedd ei hochneidiau fel cyllyll yng nghalon Buddug ond er iddi guro a churo ar y drws ffrynt, agorodd Non mohono.

Chwibanai Adam wrth frasgamu drwy'r drws cefn chwarter awr yn ddiweddarach, peint o lefrith o dan ei gesail. Roedd o'n tagu am baned ond stopiodd yn stond pan gamodd i mewn i'r gegin. Eisteddai Non ar y llawr, yn belen dynn yn erbyn yr oergell, ei llygaid yn goch a chwyddedig a strempiau o *kohl* yn baeddu'i bochau. Chwydodd gynnwys y ffrae gyda Buddug wrtho a sychodd Adam ei dagrau wrth ei chodi i eistedd ar y stôl bîn wrth y bar brecwast.

Teimlodd Adam yn lletchwith mwyaf sydyn wrth sylweddoli fod Buddug Parry wedi neidio i'r casgliad ei fod o a Non eisoes yn cysgu gyda'i gilydd. Gwyddai fod ei ffrindiau wedi neidio i'r un casgliad ac roedd Adam yn fwy na hapus i adael iddyn *nhw* gredu hynny. Roedd yr hogiau'n brolio o hyd eu bod yn cysgu gyda'u cariadon ac er fod Adam yn credu'n ddistaw bach mai celwydd oedd y rhan fwya o'u storïau, roedd o'n awyddus i deimlo'n rhan o'r gang. Wyddai neb, heblaw ei fam – Pabyddes fwya'r ganrif – mai ar y soffa y cysgai Adam pan arhosai Non draw a doedd o'n ddim o'u busnes nhw, chwaith.

Doedd dim dwywaith fod Adam eisiau cysgu gyda Non. Roedd o eisoes wedi mentro hanner awgrymu'r peth ond daeth yn amlwg na theimlai Non yn barod i wneud hynny. Ddim eto. Er ei fod yn siomedig, roddodd Adam ddim pwysau arni. Roedd o'n rhyw gymaint o ryddhad ei bod hi am aros. Doedd o, na Non, ddim wedi cysgu gyda neb o'r blaen, ac roedd ar ran fechan ohono ofn, er na fyddai'n cyfaddef hynny wrth neb. Roedd o'n ddigon hapus i ddisgwyl nes bod Non yn barod.

Ond yn sydyn, roedd hi'n lapio'i hun o'i gwmpas ac yn ei fygu â chusanau cynnes, awchus. Roedd ei dwylo'n brysur yn gwthio'i hwdi i fyny, a chyn i Adam sylweddoli beth oedd yn digwydd, roedd hi wedi rhwygo'i siwmper dros ei ben ac yn ei wthio drwodd i'r lolfa.

'Wo, Non! Be ti'n neud?'

'Os ydi hi'n meddwl ein bod ni'n cysgu hefo'n gilydd, waeth i ni wneud...' atebodd Non yn flin ac yn benderfynol o wneud pwynt.

'Be? Na! Stop.' Cydiodd Adam yn ei dwylo. 'Stop!'

'Ond dwi'n gwybod bo chdi eisio...'

'Oes. Ond ddim fel'ma!' Camodd Adam yn ei ôl a tharodd y geiriau Non fel slap. Doedd hi erioed wedi dychmygu y byddai Adam yn ei gwrthod. Erioed. Teimlai'n siomedig. Teimlai'n wirion.

'Dwi ddim eisio gwneud hyn jest i sbeitio Mrs P,' eglurodd Adam yn dyner wrth iddo'i gweld hi'n gwywo. 'Ti'n flin. Ti'n ypsét. A difaru fysat ti. Difaru fysan ni'n dau.'

Yr eiliad y dywedodd Adam hynny, gwyddai Non ei fod yn iawn ac roedd hi'n falch ei fod wedi atal pethau rhag mynd ymhellach. Byddai difaru'n erchyll, yn sbwylio pob dim ac wrth i Non syllu ar Adam, sylweddolodd ei bod hi newydd wneud ffŵl ohoni'i hun. Ffŵl enfawr. Llifodd ton o gywilydd drosti. Wyddai hi ddim beth i'w wneud na beth i'w ddweud, felly gwnaeth yr unig beth allai hi. Trodd i ddianc. Ond wrth iddi gychwyn am y drws, cydiodd Adam yn ei garddwrn a'i thynnu tuag ato.

'Hei, wnawn ni o pan mae'r amser yn iawn,' addawodd gan ei chofleidio.

'Sori,' meddai Non mewn llais bach, bach a chladdu ei phen yn ei fynwes.

'Roedd Mrs P yn iawn pan ddywedodd hi y dylet ti fynd adre heno, wsti. Ti mewn stad, yn ffraeo hefo pawb a phopeth. Rhaid i ti drio sortio dy hun allan.'

Nodiodd Non a'i gofleidio fel gelen.

Roedd hi ymhell wedi hanner nos pan ddychwelodd Non i 7 Cefn Heli ac roedd y tŷ fel y fagddu. Credai Non fod pawb wedi mynd i'w gwelyau ond pan aeth drwodd i'r gegin ac agor yr oergell i chwilio am sudd afal, neidiodd pan welodd amlinelliad Ela yn y golau. Roedd hithau'n sychedig hefyd a phan estynnodd Non y bocs sudd afal iddi, fe'i cymerodd heb dorri gair. Synhwyrai Non ei bod hi'n dal yn flin, felly ymbalfalodd yn ei bag ac estyn potel o shampŵ gwrth-*frizz* iddi.

'Sori am falu dy sythwr di,' ymddiheurodd. 'A sori am fod yn gymaint o hunlle'n ddiweddar. Dwi'n gwybod nad ydi petha'n hawdd i chdi, chwaith.'

Syllodd Ela ar y botel am ennyd. 'Na, dydyn nhw ddim,' meddai gan edrych i fyw llygaid Non. 'Dydi petha ddim yn hawdd i neb.'

Teimlai Non yn anesmwyth, ond wedi ennyd, estynnodd Ela am y botel.

'Ond dwi'n dal i styried fy hun yn chwaer gyfan i ti, sti, er gwaetha bob dim,' ychwanegodd. 'Wnaiff hynny byth newid.'

Roedd Ela'n gwbl ddidwyll a gallai Non fod wedi crio o glywed ei gonestrwydd.

'Mae Dad yn dal i styried ei hun yn dad i ti hefyd,' ychwanegodd. 'Pan ddaeth Mam adra a dweud dy fod ti wedi cau'r drws yn ei hwyneb, roedd dagrau yn ei lygaid o.'

Bwriwyd Non oddi ar ei hechel. Welodd Ela na hithau erioed mohono'n colli deigryn. Roedd o wastad wedi bod yn dŵr o nerth, fel craig yr oesoedd, yn gryf a dibynadwy, yn datrys bob picil a phroblem. Roedd meddwl amdano'n gwegian yn ergyd, ac er fod Non yn ei ffieiddio am ei dwyll, gwyddai ei fod yn ei garu, er na allai gyfaddef hynny ar y funud.

'Dwi'n poeni amdano fo,' meddai Ela. 'Fedri di ddim jest derbyn mai fo ydi dy dad di? Plis? Fo magodd chdi. Rhaid fod 'na reswm da pam eu bod nhw'n gwrthod dweud wrthat ti pwy ydi dy dad. Ella'i fod o'n jynci? Neu yn jêl? Neu'n lleidr neu'n llofrudd…'

Doedd Non heb ystyried hynny. Roedd hi wedi neidio i'r casgliad eu bod nhw'n ei gasáu am ei fod wedi trin Buddug yn wael a doedd o ddim wedi croesi'i meddwl eu bod yn ei gwarchod rhag rhywbeth mwy sinistr. Am y tro cyntaf, dechreuodd Non feddwl tybed oedd gan Buddug a Bryn bwynt?

6

Dihunodd Non yn gynnar. Byddai wastad yn gwneud hynny pan fyddai hi'n poeni am rywbeth, ac wrth i haul llwyd y wawr foddi ei llofft â golau egwan, allai hi ddim peidio â meddwl am yr hyn ddywedodd Ela. Beth os oedd ei thad geni yn ddihiryn? Beth os gwnaeth o bethau erchyll? Sut fyddai hi'n teimlo o ddarganfod fod hynny'n wir? Byddai'n ergyd. Yn sioc. Yn siom. Er iddi gael ei rhybuddio dro ar ôl tro nad oedd o'n werth ei adnabod, ysai Non am iddo fod yn hen foi iawn. Yn rhywun i'w hoffi. I'w edmygu. I'w barchu. Ond os mai breuddwyd ffŵl oedd hynny, efallai y byddai'n well petai hi ddim yn darganfod pwy oedd o? Wedi'r cwbl, roedd ganddi Bryn. Fo fagodd hi, a'i charu, er nad oedd o'n perthyn dafn o waed iddi. Er fod Non yn casáu ei dwyll, gwyddai ei bod hi'n ffodus iawn i'w gael.

Ond po fwyaf y ceisiai berswadio'i hun y byddai'n well iddi beidio gwybod pwy oedd ei thad geni, po fwyaf y teimlai fod bwlch yn ei bywyd. A pho fwyaf y teimlai felly, po fwyaf y dechreuodd Non ddod o hyd i bob math o esgusodion dros ddrwgweithredu. Roedd rheswm pam roedd pobl yn ymddwyn yn wael: roedd rhai'n cael eu gorfodi i wneud hynny; rhai'n amddiffyn anwyliaid; a rhai'n gwneud camgymeriadau gwirion yng ngwres y foment. Roedd hi'n bwysig deall pam roedd rhywun yn ymddwyn fel roedden nhw cyn beirniadu neb.

Felly, er gwaetha pob rhybudd, ac er gwaetha'i

hofnau, allai Non ddim atal ei hun rhag dyheu am y gwir. Câi ei denu ato fel gwyfyn at fflam ac roedd yn rhaid – *rhaid* – iddi ddarganfod o ble daeth hi. Byddai'n difaru'i henaid fel arall. Unwaith y byddai'n darganfod pwy oedd ei thad, gallai benderfynu wedyn oedd hi am gwrdd ag o. Doedd dim rhaid iddi wneud hynny.

Gwyddai Non na châi unrhyw wybodaeth gan Bryn a Buddug. Byddai'n rhaid iddi fod yn glyfrach na hynny, yn fwy dyfeisgar. Dim ond gwneud pethau'n annifyr i bawb fyddai hi drwy gario ymlaen i ymddwyn fel roedd hi, felly penderfynodd Non y byddai bywyd yn haws pe byddai'n sifil gyda Buddug a Bryn ond yn gwneud ymholiadau yn y dirgel.

Eisteddodd Non wrth y bwrdd brecwast gyda gweddill y teulu am y tro cynta ers achau y bore hwnnw ac roedd Bryn a Buddug yn hynod o falch ei bod hi wedi dod adre yn hytrach nag aros yn nhŷ Adam y noson cynt. Roedd y ffaith ei bod hi'n benderfynol o beidio â bod yn hwyr i'w shifft yn Sbargos hefyd yn arwydd da a syllodd Bryn a Buddug ar ei gilydd mewn anghrediniaeth gan weddïo fod geiriau Buddug wedi torri trwodd. Roedd y distawrwydd cyhuddgar, gwenwynig wedi diflannu ac er nad oedd Non yn siarad bymtheg y dwsin fel y gwnâi hi ers talwm, holodd pryd oedd Buddug yn hebrwng Bryn i gael ei *check-up* a beth oedd symudiadau Ela yn ystod y dydd.

Roedd ei chlywed yn sôn am unrhyw beth heblaw pwy oedd ei thad geni yn rhyddhad ac wrth i Bryn a Buddug ffarwelio â'r genod, gobeithiai'r ddau fod Non wedi troi congl. Dyddiau cynnar oedd hi, ond roedden nhw'n croesi bysedd. Wawriodd hi ddim ar y ddau fod Non mewn hwyliau gwell gan ei bod wedi darganfod pryd y byddai'r tŷ'n wag yn ystod y dydd. Ac roedd Non angen gwybod pryd oedd hynny er mwyn iddi gael dechrau ar ei gwaith ditectif.

Roedd shifft Non yn Sbargos yn gorffen am ddau o'r gloch ac erbyn hanner awr wedi roedd hi yn ôl adref, yn benderfynol o ddod o hyd i gliw – unrhyw gliw – fyddai'n ei harwain at ei thad geni. Aeth Non yn syth i ystafell wely Bryn a Buddug ac mewn chwinciad roedd hi'n sgubo drwy eu bwrdd pincio. Sanau a sgarffiau oedd yn y drôr isaf. Llwyth o ddillad isaf oedd yn yr ail a hancesi a beltiau oedd yn y trydydd. Doedd gan Non ddim diddordeb yn rheini ond roedd ganddi ddiddordeb mewn dod o hyd i waith papur ei rhieni. Ac un darn papur yn arbennig. Ei thystysgrif geni. Unwaith y byddai ganddi enw'i thad, gallai ddechrau tyrchu i'w gefndir a gweld oedd o'n werth ei adnabod mewn gwirionedd.

Doedd dim yn y bwrdd pincio felly aeth at y gist wrth draed y gwely. Doedd dim yn honno chwaith, heblaw pentwr o hen flancedi wedi breuo. Chaeodd Non y gist yn glep cyn agor drws y cwpwrdd dillad. Doedd dim gwaith papur yng ngwaelod hwnnw chwaith ac ochneidiodd Non cyn sylwi ar focs ffeilio ar ben y cwpwrdd. Dringodd ar gadair a thynnu'r bocs ffeilio i lawr. Agorodd y caead, a gwenodd. Bingo! Roedd yno fynydd o bapurau oedd yn gofnod swyddogol o fywyd ei rhieni. Hedfanodd bysedd Non drwy bentwr o filiau trydan, nwy a dŵr. Cyfriflenni banc, morgais a phensiwn. Yswiriant tŷ a char. Derbynebau hen garpedi, peiriannau golchi a sychwr dillad. Popeth oedd yn bwysig i'w bywydau bob dydd ond dim tystysgrif geni. Melltithiodd Non cyn rhoi'r papurau yn ôl yn y bocs yn ofalus. Crafodd ei phen a meddwl, cyn sylwi ar y bwrdd dal lamp ger y gwely dwbl. Sylwodd Non fod y drôr top wedi'i gloi. Cyflymodd ei chalon. Os oedd y drôr wedi'i gloi, rhaid fod rhywbeth pwysig ynddo.

Cyffrôdd Non drwyddi wrth chwilio am allwedd y clo. Edrychodd o dan ornaments, ym mag colur Buddug, ym mhocedi trywsusau Bryn. Dim. Edrychodd o dan y pot blodau, ar y sil ffenest ac yn y bocsys esgidiau ger y bwrdd pincio. Dim. Ond yna taflodd gaead bocs gemwaith Buddug ar agor a gweld allwedd sgleiniog yn nythu yn ei waelod. Cipiodd Non yr allwedd a'i gwthio i dwll y clo a phan lithrodd y drôr ar agor gyda chlic, hyrddiodd chwistrelliad o adrenalin drwy ei gwythiennau. Yno, yng ngwaelod y drôr, roedd pentwr o dystysgrifau wedi'u plygu'n ddestlus. Gwibiodd llygaid Non dros dystysgrif geni Bryn, Buddug ac Ela cyn sylweddoli mai'r un ar y gwaelod oedd ei thystysgrif hi. Gyda'i dwylo'n crynu a'i llwnc yn sych, agorodd Non y dystysgrif, cyn ffocysu ar enw'r tad...

Bryn Parry.

Suddodd ei chalon. Roedd hi wedi gweddïo na fyddai ei rhieni wedi dweud celwydd ar y dystysgrif ac wedi rhoi enw'i thad geni arno. Ond roedd hi'n amlwg fod Buddug a Bryn wedi twyllo'r byd swyddogol yn ogystal â thwyllo Non. Teimlodd fflach o wylltineb. Roedd hi wedi bwrw wal frics. Taflodd y dystysgrif i'r llawr mewn tymer cyn eistedd ar y gwely am funudau yn rhythu arni'n ddig...

Yna, plygodd i'w chodi. Gwyddai na allai adael y dystysgrif ar y carped ac wrth iddi blygu, sylwodd ar hen focs esgidiau tolciog o dan y gwely. Pigwyd ei chwilfrydedd ac estynnodd am y bocs. Roedd haen o lwch ar y caead a band lastig trwchus yn ei ddal yn ei le. Tynnodd Non y band a chwythu'r llwch cyn ei agor. Lledodd ei llygaid o weld beth oedd ynddo. Pentwr o hen ddyddiaduron ei mam! Wyddai Non ddim ei bod hi'n cadw dyddiadur hyd yn oed a theimlodd hyrddiad arall o adrenalin wrth i'w gobaith ailgynnau. Petai ei mam yn chwydu ei pherfedd i'w dyddiaduron, byddai'n bosibl bod cliw neu hyd yn oed gadarnhad o pwy oedd ei thad geni yn un ohonyn nhw!

Fyddai Non byth yn maddau i rywun am ddarllen ei meddyliau preifat hi ond taflodd unrhyw euogrwydd i'r naill ochr a phalu i mewn i'r dyddiaduron gan chwilio am flwyddyn ei geni. Gallai weld dyddiaduron 2010, 1999, 2003. Dyddiaduron 2007, 1997 a 2004. Pob blwyddyn, heblaw 1995 a 1996 – blynyddoedd ei chenhedlu a'i geni. Trodd Non gynnwys y bocs hyd y carped a pharhau i chwilio, yn wyllt erbyn hyn. Ond doedd dim golwg o'r un o'r ddau ddyddiadur. Rhegodd Non wrth iddi fynd ar ei phen i wal frics arall. Clywodd ddrws y ffrynt yn agor a llais ei mam yn galw i weld a oedd unrhyw un adre. Dychrynodd Non a thaflu'r dyddiaduron yn ôl i'r bocs mewn panig. Caeodd y bocs ar wib, ei stwffio o dan y gwely a chuddio unrhyw olion iddi fod yno...

Bu'n rhaid i Adam weithio'n hwyr yn y garej bob noson yr wythnos honno a ddaeth o ddim i weld Non tan y nos Wener. Roedd Non yn falch iawn nad oedd unrhyw annifyrwch rhyngddyn nhw wedi iddi daflu ei hun ato a gwnaeth hynny iddi ei werthfawrogi fwyfwy. Roedd Bryn a Buddug wedi picio i dŷ Nain Gloria i ddathlu'r ffaith fod y doctor wedi dweud fod Bryn yn ffit i ddychwelyd i'w waith ac roedd Ela wedi mynd i'r Clwb Haf gyda'i ffrindiau. Rhoddodd hyn gyfle i Non fwrw'i rhwystredigaeth am ei gwaith ditectif – neu ei diffyg gwaith ditectif. Wrth iddi wneud paned iddi'i hun ac Adam, eglurodd Non nad oedd y dystysgrif na'r dyddiaduron o unrhyw help iddi. Roedd hi'n ystyried a ddylai hi ddechrau holi ffrindiau ei rhieni am gliwiau ond doedd y syniad ddim yn apelio mewn gwirionedd gan y byddai'n rhaid iddi gyfaddef wrthynt fod Bryn a Buddug wedi'i thwyllo. Gallai Adam weld bod Non dan straen. Felly, awgrymodd ei bod hi'n anghofio am ei gwaith ditectif ac yn mwynhau'r DVD roedd o wedi ei ddewis iddynt ei wylio heno. Gwyddai Non ei bod hi'n dueddol i fynd ymlaen ac ymlaen. Byddai bach o hwyl yn gwneud lles, felly arweiniodd Adam i'w llofft i ymlacio wrth wylio'r DVD.

Edrychai top y grisiau fel petai bom wedi glanio yno. Roedd llwyth o hen ffotograffau wedi eu taflu'n flêr dros y carped a gwe pry cop yn crogi i lawr o dwll agored oer yr atig. Ochneidiodd Non. Roedd Ela wedi bod yn chwilio am hen ffotos o Gaer-heli ar gyfer prosiect ddoe a heddiw y Clwb Haf a doedd hi ddim yn un i glirio ar ei hôl.

'Gwylia ble ti'n rhoi dy draed,' meddai Non wrth Adam wrth iddi bigo llwybr i'w llofft. Stopiodd Adam a gwenu fel giât wrth godi un o'r ffotos. Llun o Bryn a Buddug ifanc yn sefyll y tu allan i dŷ Nain Gloria gyda chriw o ffrindiau oedd o.

'Sbia ar wallt dy fam!' chwarddodd Adam. 'Strîcs pinc fflashi! Ac mae hi'n gwisgo dyngarîs! A drycha ar Mr P! Plis paid â dweud ei fod o'n arfar bod yn bync?'

'Sbia golwg,' cywilyddiodd Non. 'Dylen nhw gael eu gwneud am *crimes against fashion...*'

Cydiodd Adam mewn llun arall. Yr un criw oedd ynddo, yn cadw reiat ar y fainc o flaen y siop *chips* yn y dref. Adnabu Trefor Triwal, ac er nad oedd ganddo datŵ, roedd ganddo hanner Mohican. 'Yli hyll!'

Chwarddodd Non a chyn bo hir roedd y ddau wedi ymgolli yn y lluniau. Roedd Tania Ffag, ffrind gorau Buddug, yn ymddangos mewn llwyth o'r lluniau, yn ogystal â'i gŵr, Tiwns. Roedd y ddau wedi ymfudo i

Ganada erbyn hyn. Roedd efaill Bryn ynddyn nhw hefyd, cyn iddo farw'n ifanc mewn damwain moto-beic. Roedd Non yn adnabod pawb yn y lluniau, heblaw un bachgen oedd yn ymddangos dro ar ôl tro. Roedd llu o luniau ohono fo, Bryn a'i efaill, Trefor Triwal a Tiwns yn pôsio gyda'i gilydd – yn chwarae pêl-droed, snwcer, nofio, clybio. Bachgen arti iawn gyda gwallt lliw castan, llwyth o glustdlysau, DMs ac agwedd gydag 'A' fawr oedd o.

'Pwy ydi hwnna?' meddai Non.

'Un o fêts dy dad 'de. Mae o'n bron bob llun.'

'Chlywais i rioed sôn amdano...'

'Ti ddim yn disgwyl adnabod pob un o fêts dy dad?'

'Na. Ond dwi'n gwbod am y lleill i gyd.'

'Ella fod y boi yma wedi symud i ffwrdd hefyd?'

'Dwi'm yn meddwl y bydda tri o'r criw yn ymfudo. Gormod o gyd-ddigwyddiad.'

'Ella'i fod o wedi marw?'

'Drycha ar yr ochr ola, Adam!'

'Sori, do'n i'm yn trio bod yn *morbid,*' meddai Adam gan wenu. 'Rhaid fod o jest wedi gadael a'u bod nhw wedi colli cysylltiad.'

'Bosib. Ond maen nhw'n edrych yn ffrindia agos...' Edrychodd Non ar lun o'r pump ffrind yn sefyll y tu allan i fynedfa Butlins yn codi bawd. Sylwodd fod y llun wedi'i ddyddio – 1995. Blwyddyn cyn ei geni.

'Ella eu bod nhw wedi ffraeo 'ta?' meddai Adam.

'Pam?'

'Dwn i'm. Mae 'na gannoedd o resymau. Ella fod

y boi ’ma wedi methu sgorio gôl? Heb brynu rownd? Wedi gwneud tro gwael hefo dy dad?’

‘Tro gwael?’ gofynnodd Non, ei chwilfrydedd yn tanio.

‘Oes otsh? Gawn ni wylio’r DVD ’ma rŵan, plis?’

Clywodd Non dinc diamynedd yn llais Adam, felly cliriodd y lluniau a’u rhoi nhw’n ôl yn yr atig, ond allai hi ddim peidio â meddwl pa fath o dro gwael fyddai’n ddigon drwg i chwalu cyfeillgarwch…

Wythnos yn ddiweddarach roedd y cwestiwn yn dal i gorddi Non. Wyddai hi ddim pam ond roedd y bachgen yn y llun yn ei phlagio. Bu’n meddwl a meddwl am y peth. Yn pwyso a mesur. Dyfalu. Dychmygu. Yna, gwawriodd arni mai’r peth gwaethaf y gallai o fod wedi’i wneud i ddigio Bryn oedd mynd gyda Buddug. Ac os oedd hynny’n wir, mae’n bosib mai’r bachgen yn y llun oedd ei thad geni. Gwyddai Non ei bod hi’n bosib iawn ei bod hi’n rhoi dau a dau at ei gilydd a chael pump. Beryg bod ei dychymyg wedi mynd yn rhemp a’i bod hi’n gwneud coblyn o gamgymeriad ond allai hi ddim rhwystro’i hun rhag dychwelyd i’r atig i chwilio am y llun. Bu’n syllu a syllu arno, yn ei ewyllysio i chwalu ei hamheuon, ond gwyddai mai’r unig ffordd gallai hi wneud hynny oedd drwy roi ei mam ar brawf.

Wrthi’n plicio tatws yn y gegin roedd Buddug pan ymunodd Non â hi ar ôl shifft brynhawn yn Sbargos a rhoi'r llun i lawr yn hamddenol ger y bwrdd torri bara.

'Doedd ffasiwn y nawdegau'n warth,' meddai'n ysgafn gan wylio Buddug fel barcud i weld beth fyddai ei hymateb i'r llun.

'Be sy gen ti?' holodd Buddug yn hwyliog, yn ddiolchgar fod Non eisiau sgwrsio, ond pylodd y wên pan welodd hi'r llun. 'Lle gest ti hwn?'

'Oes ots?' gofynnodd Non, gan barhau i wylio Buddug. 'Pwy ydi'r boi hefo clustdlysau? Dwi'n adnabod pawb arall.'

'Ti wedi bod yn mynd drwy'n petha ni!' cyhuddodd Buddug hi, gan edrych fel anifail wedi'i ddal mewn golau car.

'Naddo! Ela fu'n chwilio am luniau i'r Clwb Haf a ddaeth hi ar draws llwyth o hen luniau,' atebodd Non. 'Pwy ydi'r boi yna?'

'Dwn i'm,' atebodd Buddug yn llawer rhy gyflym, gan wneud i Non feddwl fod ganddi rywbeth i'w guddio.

'Rhaid dy fod ti'n ei adnabod o. Mae o mewn llwythi o'r lluniau.'

'Be arall ti wedi bod yn edrych arno fo?' ffromodd Buddug, gan dorri'i bys gyda'r gyllell blicio. 'Aaw, sbia be ti wedi neud...'

'Pam ti'n flin, Mam?' gofynnodd Non, a'i hamheuon yn tyfu wrth iddi wylio'i mam yn melltithio'r ffrwd o waed oedd yn nadreddu o gwmpas ei bys.

'Dydw i'm yn flin!' Roedd tinc o banig yn llais Buddug, er ei bod hi'n brwydro i'w reoli.

‘Pwy ydi o?’ Roedd Non fel ci ag asgwrn.

‘Ym... dwi’m yn cofio.’

‘Ti ddim yn cofio, er ei fod o mewn llwythi o luniau? Rhaid i mi ofyn i Bryn felly,’ meddai Non gan droi ato wrth iddo ddod i mewn o’r seit. Chwifiodd y llun o dan ei drwyn. ‘Pwy ydi’r boi yn y llun ’ma?’ gofynnodd. ‘Paid â dweud dy fod *ti* ddim yn cofio, chwaith. Mae ganddoch chi lwythi o luniau ohono fo. Ond, yn rhyfedd iawn, dydi Mam ddim yn gwbod pwy ydi o...’

Diferai’r coegni drwy eiriau Non. Y tu cefn iddi, ysgydwai Buddug ei phen yn gynnil, gan rybuddio Bryn i beidio â gadael y gath o’r cwd.

Edrychodd Bryn ar y llun. ‘O, Lensi ydi hwnna,’ meddai’n ddidaro. ‘Ti ddim yn ei gofio fo, Budd? Ddaru o symud i ffwrdd flynyddoedd yn ôl. Gollon ni gysylltiad...’

‘Lensi?’ gofynnodd Non gan grychu ei thrwyn mewn penbleth.

‘O ia siŵr, ti’n iawn hefyd,’ meddai Buddug. ‘Dwi’n cofio rŵan.’

‘Lensi? Pa fath o enw ydi hwnna?’ holodd Non.

‘Dwn i’m be oedd ei enw iawn o. Dyna oedd pawb yn ei alw fo. Pam ti’n gofyn?’ holodd Bryn.

‘Dwi’n meddwl mai fo ydi ’nhad geni i.’

‘Be? Paid â bod yn wirion!’ dywedodd Bryn gan droi oddi wrthi.

Ond roedd rhywbeth yn y ffordd y dywedodd Bryn hynny a wnâi i Non feddwl ei fod o’n rhaffu celwyddau.

7

Wrthi'n llosgi tost roedd Nain Gloria, sigarét yn ei cheg, pan daflwyd ei drws ffrynt ar agor. Taranodd Non i mewn yn chwifio'r hen lun.

'Choeliwch chi byth, ond maen nhw wedi dweud wrtha i pwy ydi 'nhad geni i!' cyhoeddodd yn fuddugoliaethus.

Gollyngodd Nain Gloria y twb marjarîn yn llanast ar y llawr. Roedd Buddug wedi tyngu llw na fydden nhw byth yn gwneud hynny, ac y bydden nhw'n mynd â'r gyfrinach i'r bedd. Ond dyma lle roedd Non yn pwyntio ato yn y llun.

'Peidiwch â smalio, Nain! Ddywedon nhw eich bod chi'n gwbod pob dim.'

Plymiodd stumog Nain Gloria gan feddwl fod Non wedi dod i'w chyhuddo o fod yn rhan o'r cynllwyn i guddio'r gwir. Ffrae gyda'i hwyres oedd y peth olaf roedd hi eisiau, yn enwedig gan ei bod hi'n credu'n dawel bach y dylai Buddug a Bryn fod wedi dweud y gwir o'r cychwyn. Rhuthrodd i amddiffyn ei hun.

'Drycha, dwi'n sori ond ro'n i mewn sefyllfa amhosib a wnes i *addo* cau 'ngheg...'

Disgwyliai Nain Gloria ffrwydriad fel Vesuvius ond roedd gan Non fwy o ddiddordeb yn y bachgen gwallt castan nag mewn ffraeo.

'Dwi'n methu dallt,' meddai gan bwyntio ato. 'Dwi ddim byd tebyg iddo.'

‘Diolcha,’ atebodd Nain Gloria. ‘Ti ddim eisio bod ’run fath ag Edward Skinner.’

‘Dyna’i enw o?’ gofynnodd Non, ei llygaid yn lledu wrth iddi sawru’r enw. ‘Edward Skinner…’

‘Ro’n i’n meddwl bod ti’n gwbod…’ Tagodd Nain Gloria ar ei sigarét wrth iddi sylweddoli fod Non wedi’i thwyllo a’i bod hi wedi syrthio ar ei phen i’w magl. Syllodd arni mewn dychryn. ‘Laddith Buddug a Bryn fi…’

‘Na wnawn! Nhw sydd ar fai, nid chi! Nhw ddylia fod wedi dweud wrtha i pwy ydi o,’ mynnodd Non gan sawru’r enw ymhellach. Roedd o’n well na Lensi.

‘Dim ond trio dy amddiffyn di maen nhw,’ meddai Nain Gloria. ‘Tria ddeall.’

‘Pam? Ydi’r Edward Skinner ’ma’n jynci? Neu yn jêl? Yn lleidar neu’n llofrudd neu rwbath?’

Tynhaodd cyhyrau Non wrth iddi baratoi am y gwaethaf ond ysgydwodd Nain Gloria ei phen.

‘Pam eu bod nhw’n cau dweud y gwir wrtha i, ’ta?’ gofynnodd Non yn daer ond allai Nain Gloria ddim cwrdd â’i llygaid. ‘Pam, Nain?’

‘Nid fy lle i ydi dweud.’

‘Wnaiff neb arall ddweud wrtha i. Plis!’ erfyniodd Non. ‘Does ganddoch chi ddim syniad pa mor anodd ydi troi a throsi drwy’r nos, bob nos, yn dyfalu a dychmygu… Mae o’n fy lladd i!’

Gwyddai Nain Gloria fod byd Non yn chwilfriw ers y diwrnod tyngedfennol hwnnw yn yr ysbyty ac roedd y tinc anghenus yn llais ei hwyres yn torri ei chalon.

'Maen nhw'n cau dweud achos wnaeth Edward Skinner drin dy fam fel baw...' meddai gan ochneidio'n dawel a gwasgu'i sigarét yn slwj yn y blwch llwch wrth i'r atgofion lifo. 'Fe'i galwodd hi'n bob enw dan haul pan ddywedodd ei bod hi'n feichiog. Gwrthod cymryd unrhyw gyfrifoldeb. Ddywedodd o betha hyll ofnadwy. Petha wna i byth eu hailadrodd. Mi chwalodd o dy fam yn dipiau.'

Rhythodd Non arni gan geisio gwneud synnwyr o'r geiriau. Roedd meddwl am Buddug yn ferch ifanc ar gyfeiliorn yn ei hypsetio, ond bachgen ifanc oedd Edward Skinner ar y pryd hefyd a rhaid ei fod wedi cael coblyn o sioc o glywed ei fod o'n mynd i fod yn dad.

'Ella mai wedi dychryn oedd o? Faint oedd ei oed o ar y pryd?'

'Ugain! A dydi hynny'n ddim esgus dros fod yn frwnt!' Doedd Nain Gloria ddim am adael i Non wneud esgusodion drosto. 'Yli, ddyliwn i ddim dweud hyn wrthat ti, ond roedd o am i dy fam gael gwarad arnat ti a phan wrthododd hi, ddywedodd o nad oedd o byth eisio ei gweld hi eto. Yna, cododd ei bac a mynd i ryw goleg celf yn Lerpwl i 'studio ffotograffiaeth a rhyw nonsens...'

Roedd clywed fod ei thad geni wedi dymuno cael gwared arni yn ergyd. Ofnai Nain Gloria iddi fynd yn rhy bell achos ddywedodd Non ddim am hir iawn, iawn.

'Ei alw fo'n Lensi am ei fod o'n hoffi camerâu a lensys oedden nhw?' gofynnodd yn dawel.

'Ia, a dwi'n gwbod lle byddwn i wedi hoffi stwffio'i lens o,' poerodd Nain Gloria.

'Ddaru o aros yn Lerpwl?'

'Dwn i'm. Glywais i fod o wedi symud i ochra Llandudno, ond roedd hynny flynyddoedd yn ôl. Cyn i ti ofyn, na, does gen i ddim syniad lle mae o rŵan. Dwi ddim eisio gwbod, chwaith! Dim wedi iddo fo frifo dy fam fel yna.'

Casâi Non feddwl am Buddug yn cael ei brifo, ac er ei bod hi wedi'i hanafu hi'n ddiweddar, roedd meddwl am unrhyw un arall yn gwneud hynny'n wrthun. Ond allai Non ddim peidio â meddwl efallai fod Edward Skinner wedi newid erbyn hyn, wedi tyfu i fyny a challio. Ysgwyd ei phen wnaeth Nain Gloria pan awgrymodd hi hynny.

'Bwbach hunanol oedd o a fydd o…'

'Dwi'n gwbod bod Mam wedi dweud nad oedd o eisio gwbod amdana i ond mae pobl yn medru newid, Nain.'

Gallai Nain Gloria weld gwreichion gobaith yn llygaid Non a gwyddai fod yn rhaid iddi eu mygu. 'Drycha, dwi'n dallt pam bod ti eisio credu hynny ond mi bwysleisiodd Edward Skinner na fydda fo byth yn dy gydnabod di – hyd yn oed petaet ti'n glanio ar ei riniog o. Dyna pam mae Buddug a Bryn ofn dweud wrthat ti pwy ydi o. Maen nhw'n dy garu di'n fwy na dim yn y byd a'r cwbl maen nhw'n wneud ydi ceisio dy arbed di rhag cael dy wrthod a dy fychanu, fel dy fam. A dyna ddigwyddith os ei di i chwilio amdano.'

O'r diwedd, deallai Non pam roedd Bryn a Buddug wedi mynnu mai ei brifo fyddai ei thad geni, ond doedd Nain Gloria heb orffen.

'Fyddai o'n goblyn o ergyd i Bryn petaet ti'n gwneud hynny,' ychwanegodd. 'Mi dorrodd o'i galon pan glywodd o am dy fam ac Edward. Roedd cenfigen yn ei fwyta'n fyw. Roedd o'n un o fil i gymryd Buddug yn ôl ac mae hi ofn trwy waed ei chalon i ti roi pwysa ar 'u priodas nhw a chodi hen grachen...'

Syllodd Non ar Nain Gloria. Wnaeth hi ddim ystyried hynny. Doedd hi ddim wedi ystyried teimladau neb ond ei theimladau ei hun a mentrodd Nain Gloria ofyn iddi feddwl am ei theimladau hithau hefyd.

'Plis, paid â dweud wrth Buddug a Bryn 'mod i wedi agor fy ngheg,' crefodd. 'Dwi'n gwbod ei fod o'n lot i'w ofyn, ond os dywedi di rywbeth, fydd hi'n drydydd rhyfel byd. Beryg na wnawn nhw byth fadda i mi. Anghofia am Edward Skinner, er dy les di ac er lles pawb arall...'

Gallai Non weld y taerineb yn llygaid Nain Gloria ac felly, clywodd ei hun yn cytuno.

Roedd Buddug a Bryn yn disgwyl mwy o holi a stilio am y llun pan ddychwelodd Non adref. Roedd Non yn iawn i ddweud y dylen nhw fod wedi egluro'r cyfan iddi pan oedd hi'n fychan. Fydden nhw ddim yn yr hunllef yma wedyn. Costiodd eu llwfrdra'n ddrud iddyn nhw ond allen nhw ddim troi'r cloc yn ôl. Cawsant lu o nosweithiau di-gwsg ers y ddamwain, yn ystyried a ddylen nhw fod yn onest â Non a gadael iddi ffieiddio Edward Skinner pan fyddai o'n ei gwrthod, yn hytrach na gadael iddi'i ffieiddio nhw am geisio'i hamddiffyn. Ond ar ddiwedd y dydd, roedden nhw'n caru Non ormod i adael iddo gau'r drws yn ei hwyneb.

A phan ddychwelodd Non, soniodd hi ddim gair am y llun. Nofiai ei phen ar ôl siarad â Nain Gloria ac er ei bod hi'n dal i feddwl fod Buddug a Bryn ar fai am gelu'r gwir, allai hi ddim peidio ag edmygu Bryn am gytuno i'w magu, o gofio'r cefndir. Rhaid ei fod o'n caru Buddug yn fawr a rhaid ei fod yn ei charu hithau hefyd. Allai Non ddim dweud hynny wrtho, wrth gwrs, ac roedd hi'n falch o glywed Ela'n gofyn a fyddai hi'n mynd i siopa gyda hi wedi'i shifft yn Sbargos y diwrnod canlynol. Roedd Ela â'i bryd ar brynu polish ewinedd newydd a wyddai hi ddim ai polish coch neu aur i'w brynu. Roedd Non yn falch o gael trafod dilema mor ddibwys, gan ei fod yn gyfle i feddwl am unrhyw beth heblaw'r crochan o emosiwn a ferwai y tu mewn iddi. Wrth iddi daflu ei hun i mewn i'r drafodaeth, llygadodd Buddug a Bryn ei gilydd, yn falch nad oedden nhw'n mynd i orfod rhaffu mwy o gelwydd am y tro.

Siaradai Ela fel melin bupur wrth iddi hi a Non ddringo'r allt hir o Sbargos i Superdrug. Roedd hi'n mynd ymlaen ac ymlaen am yr hyn y bwriadai ei wisgo ar gyfer trip sglefrio iâ'r Clwb Haf ac yn dal i fwydro am ba bolish ewinedd fyddai'n gweddu. Roedd Non yn bell i ffwrdd pan gyhuddodd Ela hi o beidio gwrando.

'Ti'n ddim help! Be dwi eisio ydi *hotline* i Gok Wan!'

'Neu Huw Ffash,' atebodd Non. Rowliodd Ela'i llygaid mawr gwyrdd cyn i Non ofyn a fyddai ots ganddi petai hi'n picio i lyfrgell y dref.

'Ti'n sâl?' chwarddodd Ela. 'Llyfrgell? Yn y *gwylia*?'

'Dwi angen llyfr i'w ddarllen pan mae hi'n dawel yn Sbargos.'

Protestiodd Ela'n uchel ond daeth at ei choed pan addawodd Non ddal i fyny â hi a phrynu *chips* iddi ar y ffordd adref.

Roedd Non am ddefnyddio'r we i ddod o hyd i fanylion am Edward Skinner. Er gwaetha'i haddewid i Nain Gloria ac er gwaetha'r ffaith fod Edward Skinner wedi dweud na fyddai byth yn ei chydnabod, prin roedd Non wedi meddwl am ddim byd arall ers iddi ddarganfod ei enw. Roedd o'n troi a throsi'n ei phen, yn chwarae mig â'i meddwl. Doedd hi ddim wedi gallu cysgu neithiwr na chanolbwyntio ar ddim drwy'r dydd yn Sbargos. Y cwbl roedd hi'n ei weld ar bob plât a weinai oedd ei enw.

Edward Skinner. Edward Skinner. Edward Skinner.

Fe'i llethai. Roedd popeth a glywodd amdano'n

negatif ac er nad oedd esgus am y modd y gwnaeth o drin ei mam, dyheai Non am glywed rhywbeth positif amdano. Doedd neb yn ddrwg i gyd. Awchai Non am unrhyw fanylyn. Doedd hi ddim eisiau brifo Bryn a Buddug, na brifo'i hun, ond gwyddai y byddai'n cicio ei hun am byth os na wnâi hi ymdrech i ddarganfod mwy amdano. Roedd bwlch yn ei bywyd. Bwlch oedd yn ei gwatwar, yn ei herio a'i bwyta fel cancr. Bwlch oedd angen ei lenwi. Gwyddai Non ei bod hi'n annhebygol y darganfyddai ddim amdano drwy ei Gwglo ond roedd hi'n werth rhoi cynnig arni. A hyd yn oed pe bai'n darganfod rhywbeth, doedd hynny ddim yn golygu y byddai hi'n mynd i chwilio amdano.

Eisteddodd Non o flaen cyfrifiadur mewn cwtsh preifat yn y llyfrgell. Edrychai'r sgrin ddu o'i blaen yn frawychus ac roedd yr hen bwys cyfarwydd yn araf godi yn ei stumog. Teimlai fel petai ar fin neidio oddi ar glogwyn a wyddai hi ddim a laniai hi mewn dŵr neu ar greigiau. Ond gwyddai fod yn rhaid iddi neidio. Tynnodd anadl ddofn. Yna teipiodd 'Edward Skinner, Llandudno' i mewn i Gwgl, a gwasgodd *Search*.

O fewn eiliadau darganfyddodd Gwgl fanylion tri Edward Skinner yn ardal Llandudno.

Blinciodd Non. Doedd hi ddim yn disgwyl darganfod un.

Crynai ei bysedd wrth iddi dynnu manylion y cyntaf i fyny ar y sgrin. Cyn-faer oedd newydd gael parti mawr i ddathlu ei ben-blwydd yn gant a phump oed oedd yr Edward Skinner cyntaf. Roedd hi'n amlwg nad amdano fo roedd Non yn chwilio a sgubodd ei bysedd dros yr allweddell wrth iddi ruthro i ddarllen manylion yr ail.

Gymnast deunaw mlwydd oed oedd yr ail Edward Skinner, a chanddo siawns dda o gyrraedd y Gêmau Olympaidd nesaf.

Diystyrodd Non ef ac roedd y cryndod yn ei bysedd wedi lledaenu i'w choesau wrth iddi glicio ar fanylion y trydydd Edward Skinner. Ffotograffydd oedd o a chanddo stiwdio yn 13 Rhodfa'r Gorwel, Llandudno...

Darllenodd y manylion unwaith, ddwywaith, teirgwaith a rhyfeddu. Roedd hi'n bosib iawn ei bod hi'n edrych ar fanylion ei thad geni. Arweiniwyd hi i wefan lle roedd cyfeiriad a rhif ffôn a disgrifiad o'r math o waith roedd Edward Skinner, ffotograffydd, yn ei wneud. Portreadau o bobl, plant ac anifeiliaid oedd ei arbenigedd, er ei fod yn tynnu lluniau tirwedd hefyd. Allai Non ddim bod yn bendant mai'r Edward Skinner yma oedd ei thad geni ond roedd pob gewyn yn ei chorff yn dweud wrthi mai fo oedd o...

Roedd Non ar blaned arall pan gyfarfu ag Ela yn y siop *chips* ar y sgwâr.

'Gest ti lyfr?' gofynnodd Ela wrth chwifio potel o bolish ewinedd aur o dan ei thrwyn.

'Llyfr?'

'Yn y llyfrgell?'

'O... ym... Do'n i ddim yn ffansïo dim byd,' meddai Non yn frysiog cyn archebu dau fag o *chips*. Efallai na chafodd hi lyfr ond roedd hi wedi cael rhywbeth llawer, llawer pwysicach. Roedd ganddi wybodaeth werthfawr iawn yn ei meddiant, ond beth oedd hi'n mynd i'w wneud â hi?

8

Aeth Non i mewn i'w chragen dros y dyddiau nesaf. Roedd Buddug a Bryn yn poeni amdani a phryderai Nain Gloria ei bod wedi gadael y gath o'r cwd. Ond soniodd Non ddim gair wrth neb am eu sgwrs nac am yr hyn a ddarganfu hi ar y we. Am ryw reswm, roedd hi am gadw'r wybodaeth am Edward Skinner yn breifat. Fe'i hanwesodd a'i chofleidio wrth geisio penderfynu beth ddylai hi ei wneud. Roedd wedi dyheu i ddarganfod pwy oedd ei thad geni ond, yn eironig, rŵan fod y wybodaeth ganddi, wyddai Non ddim beth i'w wneud. Dychmygodd y byddai'n mynd draw i'w weld yn syth ond y gwir plaen oedd fod arni ofn. Ofn gwirioneddol.

Roedd Nain Gloria wedi pwysleisio y byddai Edward Skinner yn cau'r drws yn glep yn ei hwyneb a pho fwyaf yr ystyriai Non realiti'r sefyllfa, po fwyaf y deuai i ddeall dyhead ei rhieni i'w gwarchod a meddwl efallai y byddai'n well iddi gadw draw. Roedd ganddi rieni oedd yn ei charu, chwaer fach annwyl, Nain nyts a chariad oedd hefyd yn ffrind gorau iddi. Roedd ganddi fwy na digon a cheisiodd Non berswadio'i hun i fodloni ar hynny. Doedd dim dwywaith y câi ei chlwyfo petai'n mynd i chwilio am ei thad geni, a phwy yn ei iawn bwyll oedd eisiau cael ei glwyfo? Wrth i'r amheuon dyfu a magu gwreiddiau, dechreuodd Non feddwl nad oedd mynd draw i Rodfa'r Gorwel werth y risg. Ond er iddi geisio'i gorau glas i berswadio'i hun y byddai'n well iddi anghofio popeth am Edward Skinner, crwydrai ei meddwl yn ôl ac yn ôl ac yn ôl at y llun ohono o flaen Butlins a'r cyfeiriad a ddarganfu hi ar y we...

Roedd Adam wedi edrych ymlaen drwy'r wythnos i gael aros yn ei wely tan hanner dydd ar ei ddiwrnod i ffwrdd o'r gwaith ond clywodd rywun yn waldio'r drws ffrynt cyn naw o'r gloch. Roedd ei wallt fel draenog a chwsg lond ei lygaid pan ddaeth i lawr y grisiau, a phan sgubodd Non heibio iddo fel corwynt a mynnu ei fod yn ei gyrru draw i Rodfa'r Gorwel yn syth, roedd o'n gegrwth. Pan glywodd y cwbl am ddadleniad Nain Gloria a ffrwyth gwaith ditectif Non ar y we, doedd o wir ddim yn gwybod a oedd rhuthro draw i Landudno yn syniad da.

Deallai Adam danbeidrwydd dyhead Non ond wedi'r holl bethau gwael ddywedodd Nain Gloria am Edward Skinner, ofnai iddi fod yn benboeth ac yn fyrbwyll a phwysodd arni i ystyried yn ofalus cyn tynnu nyth cacwn i'w phen. Ond roedd Non wedi ystyried. Ystyried ac ystyried. Ystyried hyd syrffed a gwyddai fod yn rhaid iddi fynd i Rodfa'r Gorwel. Roedd rhywbeth yn ei gyrru yno, yn ei denu fel magned. Oedd ganddo wallt hir rŵan? Oedd o'n dal i wisgo clustdlysau? DMs? Ac oedd ganddo agwedd gydag 'A' fawr o hyd?

Doedd dim dwywaith fod Adam yn rhannu ei

chwilfrydedd ond credai y dylai Non ddweud wrth Mr a Mrs P am ei bwriad cyn gwneud dim.

'Alla i ddim gwneud hynny'r lembo!' meddai Non yn ffyrnig, yn methu credu fod Adam wedi awgrymu rhywbeth mor hurt. 'Baswn i'n bradychu Nain Gloria, heb sôn am frifo Mam a Bryn. Ti'n gwybod yn iawn y basan nhw'n trio'n rhwystro i!'

'Ella mai dyna fyddai orau...' cynigiodd Adam yn gloff.

'Gorau i bwy? Drycha, rhaid i mi'i weld o! Fedri di ddallt hynny, siawns!'

'Medra, ond beth petai o'n gwylltio'n gacwn?'

'Dwi ddim yn bwriadu cyflwyno'n hun, siŵr,' eglurodd Non. 'Faswn i ddim yn gwybod be i'w ddweud. Dim ond eisio'i weld o o bell ydw i. Jest un waith. Jest i weld sut un ydi o. Ei di â fi draw?'

Doedd Adam dal ddim yn hapus.

'Plis?'

Ddywedodd Adam ddim byd a mylliodd Non. Trodd ar ei sawdl. 'Iawn 'ta! Os mai fel'na ti'n teimlo mi a' i ar ben fy hun! Ga i fws!'

Martsiodd Non dros y trothwy ac wrth iddi ddiflannu i lawr y stryd, estynnodd Adam am allweddi'r Corsa.

Ddywedodd yr un o'r ddau fawr o ddim wrth i'r car bach coch suo ar hyd ffordd arfordir y gogledd. Llenwai'r miwsig *techno* y distawrwydd ac roedd Non ac Adam wedi ymgolli yn eu meddyliau. Roedd y môr i'r chwith o'r ffordd ddeuol brysur ac roedd y tonnau ewynnog aflonydd yn adlewyrchu'r cynnwrf yn Non. Er mai hi fynnodd fod Adam yn ei gyrru i Landudno, roedd hi'n mynd yn fwyfwy nerfus wrth i'r milltiroedd fynd heibio a doedd ganddi ddim syniad sut y byddai'n teimlo pan welai hi ei thad geni am y tro cyntaf. Fyddai hi'n ei adnabod yn syth? Yn teimlo tynfa reddfol, gynhenid tuag ato gan mai ei waed ef a redai yn ei gwythiennau hi? Fyddai o'n ei hadnabod hi? Wyddai Non ddim.

Wyddai Adam ddim a oedd o'n iawn i gytuno i'w gyrru i Landudno. Teimlai'n ansicr ac allan o'i ddyfnder a doedd ganddo ddim syniad sut y byddai Non yn ymateb pan welai hi Edward Skinner. Fyddai hi'n dychryn? Yn panicio? Yn gwirioni? Byddai Adam wedi rhoi'r byd am fod yn ôl yn ei wely ond roedd hi'n rhy hwyr i hynny achos roedden nhw'n gwibio heibio i'r arwydd 'Croeso i Landudno'.

Dywedodd y *sat nav* wrthynt am gymryd y trydydd troad i'r dde wedi'r gylchfan nesaf a throdd y Corsa oddi ar y briffordd i mewn i ffordd lai oedd yn arwain i lawr allt hir tua stad o dai cyngor. Roedd hi'n stad dwt, er ei bod yn dlawd, gyda llond gwlad o blant yn cadw reiat ar y stryd, cŵn yn cyfarth a choethi a mamau ifanc yn hel clecs dros gloddiau'r ardd. Unwaith y gyrron nhw drwy'r stad a throi i'r dde, lledodd y ffordd ac edrychai'r tai yn fwy trwsiadus. Roedd llai o goncrit a mwy o wyrddni wrth ddringo'r allt tua Ffordd Penhill. Tai preifat oedd ar Ffordd Penhill, pob un fel bocs bach sgwâr coch, a thamed o ardd o'u blaenau. Wrth iddynt gyrraedd pen y ffordd, cyfeiriodd y *sat nav* hwy i fyny allt arall, un lawer mwy serth, ac ar ben hon roedd troad i'r chwith. Dyma Rodfa'r Gorwel.

Cyflymodd calon Non wrth iddynt droi i mewn i ffordd lydan, wedi'i glasu gyda choed sycamorwydden. Doedd Non ddim wedi disgwyl i stiwdio Edward Skinner fod mewn stryd o dai. Roedd hi wedi dychmygu stryd o siopau prysur ond tai mawr gwyn deulawr o ddechrau'r ganrif ddiwetha oedd yn Rhodfa'r Gorwel. Roedd ganddynt ffenestri mawr hen ffasiwn a thair gris lechen yn arwain i'r drws ffrynt. Roedd gerddi hir, braf o'u blaenau, pob un wedi'i thendio'n ofalus, a cheir drudfawr wedi'u parcio wrth eu hymyl. Roedd Rhodfa'r Gorwel yn drewi o bres.

''Dan ni yma,' meddai Adam gan stopio gyferbyn ag 13 Rhodfa'r Gorwel. 'A drycha, mae'i stiwdio fo'n rhan o'i gartra...' Pwyntiodd at yr arwydd bach brown gyda llythrennau aur ar y postyn giât cyn chwibanu'n isel. 'Waw, mae'r tŷ werth ffortiwn...'

Nodiodd Non gan lyncu pob manylyn – o gerrig melyn mân y dreif i'r bocsys petwnias pinc a choch ar sil ffenestri'r llawr gwaelod. Wyddai hi ddim beth roedd hi'n ei ddisgwyl ond doedd hi'n sicr ddim yn disgwyl hyn.

'Reit, be rŵan?' gofynnodd Adam gan ddiffodd y miwsig *techno* i osgoi tynnu sylw.

'Wnawn ni jest eistedd 'ma ac aros...' atebodd Non gan gnoi'i gwefus isaf yn ansicr.

'Ond does 'na ddim car ar y dreif. Ella'i fod o ddim adra...'

'Ac ella'i fod o!' cyfarthodd Non, y nerfau'n ei gwneud yn biwis. 'Felly, wnawn ni jest aros i weld os daw o allan, iawn...?'

Bu Non ac Adam yn eistedd yno am awr gyfan. Doedd dim symudiad y tu mewn a throdd awr yn ddwy. Trodd dwy yn dair ac roedd y tŷ fel y bedd. Doedden nhw ddim wedi dod ag unrhyw fwyd na diod gyda nhw ac roedd Adam ar lwgu. Gwyddai y gallen nhw fod yno am deirawr arall neu am dridiau. Gallai Edward Skinner fod i ffwrdd ar jobyn neu ar wyliau ac ofnai Adam eu bod wedi cael siwrnai wast. Roedd ei ben ôl yn sgwâr ond pan fentrodd awgrymu mynd adref, neidiodd Non i lawr ei gorn gwddw.

'Be? Na! No wê! Dwi ddim yn symud modfadd. Ddim nes 'mod i'n ei weld o...'

'Weli di mohono fo os nad ydi o yma!' atebodd Adam yr un mor flin. 'Dwi wedi cael digon! Ffonia'r tŷ! Os atebith o, o leia fyddwn ni'n gwybod ei fod o adra!'

Gallai Non weld fod gan Adam bwynt ond wrth iddi dyrchu yn ei bag am y rhif, agorodd drws ffrynt 13 Rhodfa'r Gorwel. Camodd hen ddynes fach a phwdl gwyn â gwawr binc arno dros y rhiniog. Y tu ôl iddi, safai gŵr cyhyrog gyda gwallt lliw castan wedi ei dorri i'r bôn. Sychodd y poer yng ngheg Non wrth iddi graffu ar y gŵr ond doedd ganddo ddim clustdlysau, dim DMs a doedd dim arlliw o Agwedd yn perthyn iddo. Mwythai bwdl yr hen ddynes yn chwareus a heblaw am y gwallt lliw castan, doedd o'n ddim byd tebyg i'r boi yn y llun y tu allan i Butlins. Gwisgai grys lliain gwyn, trywsus combat gwyrdd, sandalau a breichledau lledr.

'Ti'n meddwl mai fo ydi o?' cyffrôdd Adam.

'Ym... dwn i'm...' atebodd Non, a siom yn ei bwrw fel gordd. Roedd hi wedi gobeithio y byddai'n ei adnabod yn syth. Y byddai'n teimlo tynfa reddfol ato. Rhyw gysylltiad genynnol. Ond doedd hi'n teimlo dim. Dim byd. Ffarweliodd y dyn â'r hen ddynes a dychwelyd i fyny'r dreif yn ôl at y tŷ. Syllodd Non arno am eiliad ac roedd o ar fin diflannu pan gythrodd ym mwlyn drws y Corsa.

'Non?' meddai Adam wrth iddi saethu o'r car. 'Be ti'n neud?'

Roedd hi'n brasgamu ar ôl y gŵr gwallt castan. Gwthiodd Adam ei ben drwy ffenestr y car mewn panig. 'Non! Tyrd yn ôl! Dydi hyn ddim yn rhan o'r cynllun...'

Ond yn ei blaen yr aeth Non, cerrig melyn mân y dreif yn tasgu o dan ei thraed. Wyddai hi ddim beth ddaeth drosti ond yn sydyn, gwyddai fod yn rhaid iddi gwrdd â'r dyn gwallt castan. Doedd hi ddim wedi bwriadu gwneud hynny. Doedd hi ddim wedi bwriadu torri gair ag o ond wedi iddynt ddod mor bell roedd yn rhaid – *rhaid* – iddi gael gwybod i sicrwydd ai fo oedd ei thad geni.

'Edward Skinner?' gofynnodd a throdd y gŵr a hoelio dau lygad llwydlas arni.

'O'r diwedd!' meddai, ei lais yn gras fel dail crin dan draed. 'Ro'n i'n dechrau meddwl dy fod ti wedi mynd ar goll...'

Syllodd Non arno'n syn.

'Chdi ydi Mel, ia?' gofynnodd gan estyn llaw gynnes llawn brychni iddi ei hysgwyd. 'Yr hogan llnau newydd?'

Syllodd Non arno am ennyd arall, yna cyn iddi sylweddoli beth roedd hi'n ei wneud, cydiodd yn ei law a rhaffu celwyddau. 'Ym... ia...' meddai, a'r adrenalin yn ffrwydro drwyddi wrth iddi sylweddoli fod ganddi gyfle euraidd i ddod i adnabod ei thad heb iddo wybod pwy oedd hi.

'Mae Mrs Ellis lawr lôn yn dy ganmol di i'r cymyla,' dywedodd Edward Skinner gan wenu. 'Does neb yn Llandudno 'ma'n defnyddio Pledge fel chdi, medda hi! Tyrd i mewn i mi gael rhoi *tour* i ti cyn i ti ddechrau wsnos nesa! Ti *yn* medru dechra wsnos nesa, wyt?'

'Ym... yndw,' mwmiodd Non.

'Cŵl. Does gen i ddim cleient arall am ryw hanner awr, wedyn gen i ddigon o amsar i ddangos y stafelloedd i ti...' meddai Edward Skinner gan ei harwain i fyny'r grisiau am y drws ffrynt.

Gallai Non arogli ck one yn gymysg â phowdr golchi wrth iddi gamu'n nes ato ac wrth iddi groesi'r rhiniog i'r tŷ, edrychodd hi ddim yn ôl at y car. Gwyddai y byddai Adam yn benwan...

Roedd cyntedd 13 Rhodfa'r Gorwel yn eang a golau, a grisiau pren derw yn esgyn ohono i'r llofft. Roedd popeth arall yn wyn heblaw am y ffotograffau du a gwyn dramatig o fynyddoedd a grogai ar y waliau.

Gwelodd Edward Skinner Non yn syllu arnyn nhw. 'Hoffi nhw?'

'Chi tynnodd nhw?' holodd Non.

'Ia.'

'Neis.'

'Rhaid ti ddweud hynny wrth dy gyflogwr newydd, beryg!' chwarddodd Edward Skinner, ei lygaid llwydlas yn dawnsio. 'Faswn i ddim dicach petaen nhw ddim at dy ddant di, cofia!'

Gwenodd Non wrth iddo'i harwain i'r gegin. Roedd popeth yn wyn yn yr ystafell hon hefyd, er fod cadeiriau'r bwrdd bwyd yn lliw porffor tywyll. Roedd pot coffi a mygiau o'r un lliw ar y bwrdd a chynigiodd Edward Skinner baned iddi gan fod y coffi'n dal yn boeth.

'Siwgwr? Neu ti'n ddigon melys hebddo fo?' gofynnodd gan dywallt y coffi cyn griddfan a gwneud hwyl am ben ei hun. 'Pam dwi wastad yn gwneud yr hen jôc sâl yna, e?'

Lledodd gwên Non ac er gwaethaf ei hun, allai hi

ddim peidio â chynhesu at Edward Skinner. Doedd o'n ddim byd tebyg i'r bwbach creulon roedd hi wedi'i ddisgwyl. Arweiniodd o Non o'r gegin i lolfa enfawr oedd hefyd yn wyn i gyd, heblaw am y rŷg oren llachar oedd ar ganol y llawr. Crogai llun olew trawiadol uwch y lle tân, llun o'r haul yn machlud fel pelen o dân dros afon. Edrychai'r olygfa'n gyfarwydd i Non. Rhythodd arno.

'Ym... chi beintiodd hwnna?' holodd wedi saib.

'Ia,' atebodd Edward Skinner. 'Flynyddoedd yn ôl. 'Cynefin' ydi'i deitl o.'

Yr eiliad y dywedodd o hynny, gwyddai Non mai llun o'r machlud dros afon Heli ydoedd. Roedd hi ac Adam wedi syllu ar yr union olygfa ddegau o weithiau o ardd gwrw'r Angor. Os oedd gan Non unrhyw amheuaeth nad Edward Skinner oedd ei thad, fe'i tawelwyd yn awr ac roedd hi ar fin pysgota i weld a fyddai'n arddel y cysylltiad â Chaer-heli pan ganodd ei ffôn. Fflachiodd enw Adam ar y sgrin. Gwyddai Non y byddai'n poeni amdani ond doedd hi ddim eisiau siarad ag o. Ddim rŵan. Doedd hi ddim eisiau i neb darfu arni. Diffoddodd y ffôn.

'Sori am hynna,' meddai ond cyn iddi gael cyfle i holi ymhellach ynglŷn â'r llun, roedd Edward Skinner yn ei harwain o'r lolfa i ddrws yr ystafell gyferbyn.

'Mae'n stiwdio i fan 'na,' eglurodd. 'Dwi ddim am i ti lanhau honna. Fydda i'n gwneud hynny'n hun. Does dim byd gwaeth na rhywun yn styrbio dy waith di, nag oes...?'

'Hunlle,' meddai Non a gwenodd Edward Skinner wrth ddychwelyd tua'r cyntedd ac anelu am y llofft.

'Wyth bunt yr awr fyddi di'n godi, meddai Mrs Ellis.'

'Ia, ydi hynna'n iawn?'

'*Champion,* gan bod ti'n dod â dy stwff llnau dy hun.'

Dilynodd Non ef i fyny'r grisiau pren derw ac wrth iddo arwain y ffordd, sylwodd fod bys bach ei droed dde yn gam. Collodd ei chalon guriad. Roedd o'n union fel ei bys bach hi. Casâi Non y bys. Credai ei fod yn edrych yn hyll mewn sandal a bellach gwyddai i bwy roedd y diolch am hynny. Ond doedd ganddi ddim amser i gnoi cil achos roedd Edward Skinner yn gofyn iddi dalu sylw arbennig wrth lanhau'r ystafell ymolchi. Tarodd Non ei phen heibio'r drws a synnu nad oedd yr ystafell yma'n wyn hefyd. Roedd hi'n deils du, sgleiniog i gyd gyda ffenestr fawr yn y to ond yr hyn a ddaliodd ei sylw oedd y pentwr o gosmetics a brwsys colur Lancôme drud ger y sinc. Rhewodd Non. Groesodd o ddim ei meddwl hi y byddai gan Edward Skinner wraig ond rŵan roedd o'n siarad bymtheg y dwsin am ryw Julie.

'Mae gan Julie obsesiwn ynglŷn â chael sinc a bath glân, yli, wedyn digon o eli penelin, ocê?' meddai.

'Julie ydi'ch gwraig chi?' gofynnodd Non, a'i llygaid yn gwibio at bedwerydd bys ei law chwith.

'Na, fy nghariad i.'

'O, reit,' atebodd Non wrth i gant ac un o gwestiynau

ffrwydro yn ei phen. Sut un oedd y Julie yma? Ers faint roedden nhw gyda'i gilydd? Oedd hi'n gwybod am Non? Chymerodd Non fawr o sylw o'r brif ystafell wely wrth i Edward ei hebrwng drwyddi, na'r ail na'r drydedd ystafell wely – ill dwy ag *en suite* – wrth i'r cwestiynau chwyrlïo yn ei phen. Roedd synnwyr yn dweud na fyddai dyn llwyddiannus fel Edward Skinner yn sengl a chiciodd Non ei hun am beidio ystyried y peth ynghynt. Ond bob tro roedd hi wedi meddwl amdano, roedd hi wedi meddwl amdano fel y bachgen yn y llun yn Butlins, wedi'i rewi mewn amser.

Gwthiodd Edward Skinner ddrws y bedwaredd ystafell wely ar agor a chafodd Non sioc. Crogai ffotograff anferth o fachgen bach bochgoch gyda llygaid mawr tywyll ar y wal. Roedd y bachgen tua blwydd oed ac yn cydio mewn tedi, yn dalp o ddireidi. Lledodd llygaid Non wrth iddo wawrio arni ei bod hi'n sefyll yn nyrseri ei hanner brawd. Ond cyn iddi allu holi, daeth cnoc ar y drws ffrynt ac roedd Edward Skinner yn hedfan i lawr y grisiau ddwy ar y tro. Meddyliodd Non am eiliad mai Adam oedd wedi dod i chwilio amdani, ond cleient nesaf Edward Skinner oedd yno ac roedd taith Non o gwmpas y tŷ wedi dod i ben.

'Wela i di 'radag yma wsnos nesa, ia?' gofynnodd Edward Skinner gan ddal y drws ffrynt yn agored i Non.

'Ym... ia, iawn,' atebodd hithau, a'i phen yn nofio wrth iddi gamu heibio i'r cleient ac allan i'r awyr iach.

'*So long*,' meddai Edward Skinner a chyn i Non

wybod beth oedd yn digwydd, roedd wedi cau'r drws yn ysgafn y tu ôl iddi.

Roedd coesau Non yn gwegian wrth iddi faglu ei ffordd i lawr y dreif gan sbydu'r cerrig melyn mân i bobman. Gallai weld fod Adam ar bigau'r drain yn y Corsa ac wrth i Non ruthro tuag ato, daeth merch ifanc tua'r un oed â hi i waelod y dreif. Cariai'r ferch gwdyn plastig gyda 'Mops Mel' wedi ei ysgrifennu arno. Sgrialodd Non i stop. 'Chdi ydi'r hogan llnau newydd?' gofynnodd.

'Ia,' atebodd y ferch yn hy. 'Pam? Be ydi o i chdi?'

'Ti hannar awr yn hwyr. Maen nhw 'di rhoi'r job i rywun arall, sori.'

Dechreuodd y ferch felltithio ond arhosodd Non ddim i wrando. Roedd Adam yn dod allan o'r car i'w chyfarfod, ei wyneb fel taran.

'Pam na wnest ti ateb dy ffôn?' bytheiriodd.

'Plis paid â bod yn flin,' erfyniodd Non arno. 'Ti ddim yn mynd i gredu beth sydd newydd ddigwydd...'

9

Roedd job Bryn ar seit Caer Ffynnon wedi dod i ben a heddiw roedd Bryn, Trefor Triwal a'r hogiau'n dechrau cytundeb newydd yn adnewyddu hen blasty y tu allan i Gaer-heli. Wrthi'n paratoi ei focs bwyd roedd Buddug pan ddaeth Ela i lawr y grisiau yn ei phyjamas, ei gwallt fel gwyntyll o gwmpas ei phen.

'Dim ond gobeithio cei di fwy o lwc ym Mhlas Crog nag yng Nghaer Ffynnon, Dad,' meddai'n chwareus, gan ddylyfu gên.

'Ia, dim dramatics tro 'ma, plis!' cellweiriodd Buddug.

'Fi? Dramatig! Choelia i fawr,' atebodd Bryn. 'Ond wnes i fwynhau reid mewn ambiwlans, cofiwch...'

Chwarddodd Buddug ac Ela wrth i Non ddod i mewn o'r ardd gyda chlap bach o lo i ddymuno'n dda iddo. Ddywedodd hi ddim gair ond cyffyrddwyd Bryn.

'Diolch,' meddai gan gymryd y glo a thaflu edrychiad gobeithiol at Buddug.

Roedd hwyliau Non wedi gwella dros yr wythnos ddiwetha a chredai Bryn a Buddug mai'r ffaith ei bod hi wedi cael mwy o shifftiau yn Sbargos oedd wrth wraidd hynny. Ychydig a wydden nhw, wrth gwrs, mai ei hymweliad â Rhodfa'r Gorwel oedd yn gyfrifol ac allai Non ddim aros i ddychwelyd yno.

Doedd ei thad geni yn ddim byd tebyg i'r hyn roedd Non wedi'i ddychmygu. Roedd o'n gynnes a chlên a pho fwyaf roedd Non yn ystyried, po fwyaf roedd hi'n meddwl efallai ei fod wedi troi dalen newydd. Roedd yn rhyddhad enfawr i Bryn a Buddug nad oedd hi wedi holi ymhellach am ei thad geni, ac er y gwydden nhw y byddai'r pwnc yn siŵr o godi'i ben eto, roedden nhw'n hapus i gladdu eu pennau yn y tywod am gyfnod a mwynhau'r harmoni.

Wrth i Bryn gydio yn ei focs bwyd, hwyliodd Nain Gloria i mewn i'r gegin, yn gwmwl o fwg. Rowliodd Bryn ei lygaid.

'Peidiwch â deud eich bo *chi* wedi dod i ddymuno pob lwc hefyd?'

'Do!' atebodd Nain. 'A fydda i'n dod i ddymuno pob lwc i Non pan gaiff hi ganlyniadau'r TGAU mewn deuddydd...'

'Fydd Non ddim angan lwc, siŵr!' meddai Bryn yn hyderus. 'Fydd hi wedi gwneud yn tshampion!'

'Wn i ddim...' meddai Non. Roedd hi wedi gwthio'r canlyniadau i gefn ei meddwl yn sgil holl gythrwfl yr wythnosau diwetha ond doedd dim dwywaith ei bod hi'n nerfus.

'Dim ond pump C ti angen i fynd i'r Chweched,' meddai Ela wrth i Trefor Triwal ganu corn y fan y tu allan. 'Fyddi di'n iawn.'

'Byddi,' ategodd Bryn gan frasgamu tua'r drws cefn. 'Well i mi hel fy nhraed cyn mi gael sac!'

Diflannodd Bryn a throdd Nain Gloria at Non.

'Ti am wneud panad i dy nain? Mae 'ngheg i fel cesal camal...'

'Sori, gen i lwyth o bethau i'w gwneud heddiw,' atebodd Non a rhuthro ar ôl Bryn cyn i Nain Gloria gael cyfle i holi.

Roedd gan Non lond tri bag plastig o stwff glanhau o Home Bargains pan gyrhaeddodd hi garej Adam. Os roedd hi am argyhoeddi fel dynes llnau roedd yn rhaid iddi edrych y rhan ac roedd Non am i Adam guddio'r pentwr o gadachau, polish, menig Marigolds a mop. Roedd Adam yn dal yn flin am iddi ddiflannu i mewn i 13 Rhodfa'r Gorwel yr wythnos cynt. Gallai unrhyw beth fod wedi digwydd iddi yn y tŷ ac er fod Adam yn cydymdeimlo â'i hysfa i ddod i adnabod ei thad geni, credai ei bod yn chwarae gêm beryglus. Gwyddai Non fod ganddi fynydd i'w ddringo i'w berswadio i'w gyrru 'nôl i Landudno y diwrnod canlynol.

'Plis Adam, mae'n bwysig...' llediodd.

'Na. No wê. Ti'n deud celwydd wrtho fo.'

'Yndw, wn i, ond wel... mae o'n gyfla rhy dda i'w golli, dydi. Ti'n dallt hynny, siawns...'

'Roeddet ti'n gandryll pan wnest *ti* ddarganfod bod Mr a Mrs P wedi dweud celwydd wrthat *ti*!' edliwiodd Adam.

'Roedd hynny'n wahanol,' cyfiawnhaodd Non ei hun.

'Na! Mae o 'run fath yn union!'

Gwyddai Non fod Adam yn dweud y gwir a'i bod hi'n eironig ei bod hi'n ceisio perswadio'i hun ei bod hi'n gwneud y peth iawn, yn union fel y gwnaeth Buddug a Bryn flynyddoedd yn ôl.

'Y cwbl dwi eisio ydi cyfla i ddod i wybod mwy amdano fo. A'i gariad. A dwi eisio cyfarfod y babi hefyd! Alla i ddim credu fod gen i hannar brawd.'

'Ond dydi be ti'n wneud ddim yn iawn, Non.'

'Dydi be wnaeth Edward Skinner i Mam ddim yn iawn! Dydi be wnaeth hi a Bryn i mi ddim yn iawn! Ond wnaethon nhw fo 'run fath!'

'Dydi hynny'n ddim esgus. Ma gen i deimlad annifyr am hyn. Beth petaet ti'n rhoi dy droed ynddi a datgelu pwy wyt ti?'

'*As if*! Mae o'n meddwl mai'r ddynas llnau ydw i! Bydd pob dim yn iawn. Wir yr. Y cwbl dwi eisio ydi lifft...'

Ysgydwodd Adam ei ben.

'Plis! Alla i ddim trystio neb arall i fynd â fi. Ti wedi bod yn gymaint o gefn i mi drwy hyn. Paid â 'ngadael i lawr rŵan...' erfyniodd Non ond doedd Adam ddim yn hapus. 'Plis, wna i dalu pres petrol i ti...'

'Dwi ddim yn poeni am y petrol! Poeni amdanat ti ydw i.'

'Fydda i'n iawn os byddi di tu allan,' plediodd Non a phan welodd Adam y taerineb yn y ddwy lygaid fawr frown, meddalodd.

Pan barciodd Adam y Corsa gyferbyn ag 13 Rhodfa'r Gorwel y tro hwn, teimlai Non yn gwbl wahanol. Gwyddai'n union beth roedd hi'n mynd i'w wneud, er gwaetha'r ffaith fod Adam wedi cael pwl arall o draed oer.

'Mae hyn yn hurt. Ella basa'n well i ni fynd adra...'

'Na! *Chillax*, Adam. Ti'n poeni gormod...' atebodd Non gan roi cusan sydyn iddo wrth iddi droi i estyn ei defnyddiau llnau o'r sedd gefn. 'Fydda i 'nôl mewn dwy awr fan bellaf...'

'Ydi dy ffôn di mlaen?'

'Ydi.'

'Wel, os dwi'n ffonio, atab o tro 'ma, iawn?'

'Iawn,' addawodd Non cyn rhoi cusan sydyn arall i Adam, dringo allan o'r car a cherdded i fyny'r dreif cerrig melyn mân.

Gwyliodd Adam hi'n mynd a chlymodd ei stumog wrth iddi ddringo'r tair gris lechen a churo ar y drws...

Roedd gwên fawr ar wyneb Edward Skinner wrth iddo arwain Non i'r gegin a tharodd yr arogl ck one a phowdr golchi hi'n syth. Crys lliain du a chombats mwstard oedd amdano heddiw ac roedd o'n droednoeth. Allai Non ddim peidio ag edrych ar fys bach cam ei droed dde – yr un bys bach â hi – a rhyfeddu at y tebygrwydd.

'Reit Mel, ti'n gwybod ble mae bob dim,' meddai

Edward Skinner. 'Felly, esgusoda fi. Gen i alwadau i'w gwneud...'

Roedd Non yn siomedig ei fod wedi diflannu i'w stiwdio'n syth ond roedd Edward Skinner yn amlwg yn brysur, felly estynnodd Non am ei menig Marigolds newydd a dechrau ar y dasg o lanhau'r gegin. Byddai ei mam yn cael ffit petai'n ei gweld. Doedd hi byth yn helpu i lanhau adref a wisgodd hi erioed Farigolds o'r blaen. Ond roedd tro cyntaf i bopeth a dechreuodd Non lanhau topiau'r unedau gydag arddeliad. Y dasg gyntaf oedd clirio'r briwsion bara oddi ar y bwrdd torri bara. Sylwodd Non mai bara grawn cyflawn roedd Edward Skinner yn ei fwyta. Doedd dim torth rad o Lidl fel roedd hi'n ei gael adref yn dod ar gyfyl y tŷ yma. Menyn roedden nhw'n ei fwyta hefyd, nid marjarîn. Roedd bocs o Alpen wedi'i adael allan ar y bwrdd a phaced o fricyll sych a sylweddolodd Non nad oedd Edward Skinner yn foi brecwast ffrei fel Bryn. Bwytai'n iach. Roedd poteli gwag o ddŵr wrth ymyl y sinc hefyd a synnai Non at rywun oedd â digon o arian i brynu dŵr pan oedd o i'w gael am ddim yn y tap. Cyn bo hir, roedd y gegin fel pin mewn papur a symudodd Non drwodd i'r lolfa.

Dechreuodd drwy dynnu llwch oddi ar silffoedd y cwpwrdd llyfrau. Llyfrau celf, hanes a thaith oedd y mwyafrif ohonyn nhw. Doedd hi erioed wedi bod ymhellach na'r Alban ond edrychai fel bod Edward Skinner wedi ymweld â'r rhan fwyaf o wledydd Ewrop ac wedi teithio cyn belled â Brasil. Wrth i

Non freuddwydio am ba mor gyffrous fyddai hynny, sylwodd ar lun mewn ffrâm wen ar y silff ben tân. Llun o'r bachgen welodd hi yn y llofft ydoedd ond roedd o'n dipyn hŷn yn y llun yma. Roedd o wedi gwisgo fel dyn tân a sylwodd Non fod llond gwlad o deganau Sam Tân yn llanast y tu ôl i'r gadair freichiau ledr ger y cwpwrdd. Roedd teganau Peppa Pinc a'r Octonots yn gymysg â nhw.

'Sori am y llanast.' Ailymddangosodd Edward Skinner a dechrau chwilio am ei ffeil-o-ffeithiau. 'Mae Gruff fewn i bob dim ar y funud...'

Gruff. Dyna oedd enw'i hanner brawd. Enw syml. Cryf.

'Faint ydi'i oed o?' holodd Non yn chwilfrydig.

'Dyflwydd a hanner. A rho'r teganau yn y gist acw. Am ryw reswm, roedd y ddynes llnau ddwytha'n eu stwffio nhw i'r llefydd rhyfedda. Ffendiodd Julie gar Peppa yn ei bŵts...'

'O ddifri?' lledodd llygaid Non.

'Tacluso ar frys oedd hi – os medri di ei alw fo'n dacluso,' chwarddodd Edward Skinner, ei lygaid yn dawnsio unwaith eto. 'Ond pan wnes i droi fyny i *shoot* a darganfod Sali Mali yn fy nghâs camera, roedd yn rhaid iddi fynd, cyn i 'nghleients i feddwl 'mod i'n dwlál!'

Chwarddodd Non hefyd, gan gynhesu ato am wneud hwyl am ben ei hun. 'Pa gleient ydi'r gorau 'dach chi rioed wedi'i gael?' holodd, yn awyddus i gael cip ar fyd a swniai'n gyffrous iawn.

'Wn i ddim am y gorau ond y gwaetha oedd boi o Brymbo ddaeth yma efo python o'r enw Cameron. Roedd o eisio llunia o Cameron ac ro'n i'n hapus i'w tynnu nhw tan aeth yr annwyl Cameron ar goll...'

'No wê!'

'Cafodd o'i ddarganfod dridia wedyn yn cysgu'n sownd yn y cwpwrdd crasu!'

'W, syrpréis neis...' gwenodd Non.

'Bron mi gael hartan! Gas gen i syrpreisys.'

'Doedd Julie ddim yn hapus, dwi'n siŵr?' holodd Non gan weld cyfle i bysgota.

'Do'n i ddim hefo Julie 'radag honno. O'dd hyn bum mlynedd 'nôl...'

Amsugnodd Non y wybodaeth fel sbwng. Roedd perthynas Edward a Julie'n gymharol newydd. Mentrodd Non holi ymhellach. 'Be mae Julie'n ei wneud?'

'Dysgu Cerdd.'

'Wna i ei chyfarfod hi a Gruff heddiw?'

'Na. Maen nhw yn Lerpwl.'

'O, reit,' cuddiodd Non ei siom. 'Un o Lerpwl ydi hi?'

'Rargol, mae rhywun yn fusneslyd...'

'Sori,' ymddiheurodd Non gan boeni iddi fynd yn rhy bell. 'Dwi wastad yn cael ceg am hynna.'

'Dw inna 'run fath,' cyfaddefodd Edward Skinner. 'O ba ran o Gonwy wyt ti'n dod 'ta?'

'Conwy?' taflwyd Non.

'Fan'no ddywedodd Mrs Ellis ti'n byw...'

'O, ym, ia...' rhaffodd Non gelwydd wrth iddi

sylweddoli fod Edward Skinner wedi ymholi i gefndir Mel, y ferch llnau, cyn rhoi'r swydd iddi.

'Lle yn Conwy?'

'Ym… stryd ger y castall,' meddai Non gan weddïo na fyddai'n gwrthddweud unrhyw beth ddywedodd Mrs Ellis. Dim ond unwaith y bu hi yng Nghonwy a doedd hi ddim eisiau cael ei dal allan.

'Ro'n i'n meddwl mai siopau oedd ar y stryd honno…'

'Mae 'na fflatiau uwchben y siopau,' meddai Non a fu hi erioed mor falch o glywed y ffôn yn canu. Diflannodd Edward Skinner i'w ateb, ei ffeil-o-ffeithiau dan ei fraich, ac wedi iddi roi hwfrad sydyn i'r lolfa, dihangodd Non am y llofft.

I'r brif ystafell wely yr aeth hi gyntaf ac er na chymerodd hi fawr o sylw ohoni y tro diwetha y bu ynddi gan fod ei phen yn troi, sylwodd Non ar bob manylyn y tro yma. Roedd pob ystafell yn y tŷ yn dal cyfrinachau, yn allwedd i gymeriad ei thad geni, a gwyddai Non dipyn mwy amdano erbyn hyn. Doedd yr ystafell wely'n ddim gwahanol. Ystafell fawr olau oedd hi, â thair wal hufen ac un las tywyll. Crogai llun o gerflun Iesu Grist yn Rio de Janeiro uwchben y gwely, ei freichiau ar led fel petai'n gwarchod y ddinas dywyll islaw. Roedd o'n llun trawiadol ac er nad oedd Non yn sicr mai gwaith Edward Skinner ydoedd, roedd hynny'n debygol gan fod llyfr taith ar Brasil yn y lolfa. Meddyliodd Non yr hoffai hi deithio rhyw ddiwrnod. Ond byddai arni angen swydd dda a fyddai dim gobaith o hynny petai hi'n cael canlyniadau TGAU trychinebus. Gorfododd Non ei hun i beidio â meddwl am ganlyniadau ei harholiadau a dechrau codi pentwr o ddillad budr oddi ar y llawr a'u rhoi yn y fasged olchi. Gwyddai eisoes mai combats oedd hoff drywsusau Edward Skinner, ond daeth yn amlwg o'r pentwr dillad mai jîns *skinny* a ffafriai Julie. Roedd Non bron â marw eisiau gwybod sut un oedd hi o ran pryd a gwedd. Oedd hi'n debyg i'w mam?

Dechreuodd Non dynnu llwch oddi ar y sil ffenestr wrth iddi hel meddyliau cyn symud ymlaen i'r bwrdd pincio gwydr tywyll. Roedd dwy botel o ck one arno, pentwr o freichledau lledr, lipstig coch tywyll, masgara a photel o bersawr Romance. Aroglodd Non y persawr, ei chwilfrydedd am y ddynes oedd wedi cipio calon Edward Skinner yn tyfu. Ysai am weld llun o Julie a dyna pryd y gwelodd hi waled lliw camel gyda'r llythrennau ES arni yn nythu mewn gwely o sanau yn nrôr uchaf y bwrdd pincio. Roedd lluniau mewn waledi fel arfer a syllodd Non ar y waled am beth deimlai fel oes. Oes pys. Fentrai hi ei hagor? Gwyddai Non na ddylai. Ei fod yn annheg. Ond aeth temtasiwn yn drech na hi.

Cipiodd Non y waled o'r drôr a'i hagor. Tarodd yr arogl lledr cryf ei ffroenau wrth i bentwr o arian mân dinclan allan a disgyn ar y bwrdd pincio. Gwibiodd llygaid Non dros lu o gardiau – un credyd, llyfrgell, sinema a Marks & Spencer. Yna, gwelodd Non yr hyn roedd hi'n chwilio amdano. Mewn poced blastig ar ochr dde'r waled roedd llun o Edward Skinner yn cusanu merch dal, a chanddi wallt o liw mêl a sbectol haul dywyll. Julie. Ar y prom roedden nhw ac roedd Julie'n chwerthin. Edrychai'n cŵl, wedi'i gwisgo mewn cot ledr borffor a jîns *skinny*. Doedd hi'n ddim byd tebyg i Buddug ac roedd Non wedi ymgolli'n llwyr yn y llun pan glywodd hi'r drws yn gwichian ar agor. Safai Edward Skinner yno'n rhythu arni, ei lygaid llwydlas yn ddwy belen dân. Gollyngodd Non y waled.

'Be ti'n feddwl ti'n neud?' gofynnodd Edward Skinner, yn dawel, ei lygaid yn llosgi trwyddi.

'Sori... Dwi ddim yn dwyn, wir,' atebodd Non yn ffrwcslyd, â'r panig yn codi ynddi, ond gallai weld fod Edward Skinner am ei gwaed.

'Ti yn fy waled i...'

'Yndw! Dwi'n gwbod! Ond nid dwyn ydw i!' mynnodd Non eto, er y gwyddai fel y dywedai'r geiriau eu bod nhw'n swnio'n hurt. 'Wir yr! Peidiwch â ffonio'r heddlu.'

Cododd y waled a'i rhoi i Edward Skinner a chipiodd yntau hi. 'Rho un rheswm pam na ddyliwn i,' meddai, ei lais fel dur.

'Achos fi ydi'ch merch chi!' Ffrwydrodd y geiriau o geg Non.

Syllodd Edward Skinner arni, heb ddweud gair. Meddyliodd Non nad oedd o wedi deall.

'Fi ydi'ch merch chi,' meddai eto, yn dawelach y tro yma.

Daliodd Edward Skinner i syllu arni.

'Nid Mel ydw i. A dwi ddim yn ddynes llnau. Non ydw i. Non Parry.'

Parhaodd y syllu. Agorodd Edward Skinner ei geg i siarad ond sychodd y geiriau. Yna, dechreuodd grynu. Gwyddai yntau ers un mlynedd ar bymtheg y gallai'r foment hon ddod – y gallai ei ferch ddod i chwilio amdano ryw ddiwrnod – ond wnaeth o fyth, byth freuddwydio y byddai'n dod o hyd iddi'n sefyll yn ei ystafell wely, yn anrheithio'i ddrôriau. 'Allan!' ebychodd yn floesg.

'Be?'

'Allan! Dos o 'ma.'

'Beth?' simsanodd Non. 'Fedrwch chi mo 'nhaflu fi allan!'

'Gwylia fi!' Daeth Edward Skinner o hyd i'w lais wrth iddo gydio yn ysgwydd Non a'i gwthio tua'r drws. 'Ti'n dod i 'nhŷ i, smalio bod yn ddynas llnau, rhaffu celwyddau...'

'Ond mae 'na bethau i'w trafod...' protestiodd Non wrth iddi gael ei rhusio i lawr y grisiau pren.

'Do'n i ddim eisio gwbod un mlynadd ar bymtheg 'nôl a dwi ddim eisio gwbod rŵan!' rhuodd Edward Skinner a chyn i Non wybod beth oedd yn digwydd, sgubwyd hi drwy'r drws ffrynt fel darn o sbwriel.

10

Tasgai'r tensiwn yn 7 Cefn Heli wrth i fys y cloc gripian tuag at hanner awr wedi naw. Roedd Non wedi mynd i'r ysgol i nôl canlyniadau ei harholiadau TGAU ac roedd Buddug, Bryn ac Ela ar bigau yn aros iddi ddychwelyd.

Roedd Non fel y galchen pan gychwynnodd i'r ysgol. Thorrodd hi ddim gair â neb. Caeodd ei hun yn ei llofft yr eiliad y daeth hi adref y noson cynt. Gwrthododd fwyta swper ac allai hi ddim stumogi brecwast. Roedd Buddug a Bryn yn cyfnewid edrychiadau pryderus ond credai Nain Gloria y byddai Non yn dod ati'i hun unwaith iddi gael ei chanlyniadau. Roedd hi wedi picio heibio gyda cherdyn Pob Lwc cyn mynd ar drip blynyddol yr henoed ond chymerodd Non fawr o sylw ohoni. Gadawodd am yr ysgol cyn gynted ag y gallai.

'Fydd hi mor siomedig os na wnaiff hi'n ddigon da i fynd i'r Chweched,' meddai Buddug wrth droelli cudyn o wallt o gwmpas ei bys.

'Fydd hi'n iawn, siŵr. Wnaeth hi adolygu, do?' dywedodd Ela wrth iddi beintio'i hewinedd yn aur wrth fwrdd y gegin.

'Wnaeth hi adolygu digon?'

'Roeddet ti'n ffyddiog ddoe, Mam.'

'Ddoe oedd hynny. A byddai'n braf cael 'chydig bach o newyddion da am newid...' meddai Buddug wrth glywed allwedd Non yn y drws ffrynt. Neidiodd y tri ar eu traed a phentyrru drwodd i'r lolfa i'w chyfarfod. Suddodd eu calonnau wrth weld ei gwep. Doedd pethau ddim yn edrych yn addawol.

'Wel?' mentrodd Buddug. 'Sut aeth hi, pwt?'

'Un A, dwy B, pump C,' atebodd Non.

'Beth?' llefodd y tri arall a goleuodd yr ystafell gyda gorfoledd. Mewn eiliad, boddwyd Non â chusanau wrth i'w theulu ei llongyfarch blith draphlith.

'Waw! Da iawn, brênbocs!' meddai Bryn gan roi coflaid fawr iddi.

'Does neb yn teulu ni wedi cael A o'r blaen!' ategodd Buddug. 'Yn be gest ti o?'

'Celf,' meddai Non a beichio crio.

Sobrodd y tri arall yn syth.

'Argoledig, be sy?' gofynnodd Bryn.

'Ia. Ddylet ti ddim crio,' meddai Buddug. 'Ti wedi gwneud yn wych...'

'Wn i...'

'Be sy 'ta?' holodd Ela gan edrych ar Non fel petai ganddi gyrn.

'Es i weld Edward Skinner ddoe,' atebodd Non, gan grio'n galetach. 'Daflodd o fi allan o'i dŷ...'

Rhewodd yr awyrgylch. Clodd llygaid Buddug a Bryn mewn pryder. Ond roedd Ela ar goll yn lân.

'Pwy ydi Edward Skinner?' gofynnodd ac roedd hi'n gegrwth pan eglurodd Non mai ef oedd ei thad geni a'i bod hi wedi dod o hyd iddo wedi i Nain Gloria roi'i throed ynddi a'i bod hi wedi bod yn ysbïo arno dros yr wythnosau diwetha.

'Dwi ddim yn credu hyn,' meddai Ela. 'Mae'r holl beth yn *mental...*'

'Chi oedd yn iawn,' meddai Non gan droi at Buddug a Bryn a mygu ochenaid ddagreuol. 'Ddyliwn i fod wedi gwrando. Ddyliwn i fyth fod wedi mynd tu ôl i'ch cefn chi. Ddyliwn i fod wedi'ch trystio chi. Plis peidiwch â bod yn flin efo fi.'

Disgwyliai Non i'r ddau ffrwydro ond, yn rhyfedd, wnaethon nhw ddim. Roedd Bryn yn dalp o dynerwch wrth iddo arwain Non at y soffa.

'Dydan ni ddim yn flin, siŵr...' meddai, ei gonsýrn yn gwneud i Non wylo'n waeth.

'Tyrd yma, pwt...' dywedodd Buddug gan eistedd a mwytho'i llaw, tra syllai Ela o un i'r llall yn ceisio gwneud synnwyr o'r hyn oedd yn digwydd.

'Ddywedodd Adam wrtha i am beidio mynd i Landudno. Ei fod o'n rhy beryg ond wnes i fynnu...' ochneidiodd Non. 'Rhybuddiodd Nain Gloria fi i beidio mynd i chwilio amdano fo hefyd. Peidiwch â ffraeo hefo hi am roi'i throed ynddi, ocê? Fi twyllodd hi. Does dim bai arni hi...'

'Ocê, ocê,' meddai Buddug gan dynnu Non i'w chôl. 'Wnawn ni ddim dweud dim. Paid ag ypsetio, pwt.'

Ond ypsetio wnaeth Non, a'r dagrau a'r llysnafedd yn llifo'n slwj cynnes i lawr ei hwyneb. 'Peidiwch â bod yn flin...' erfyniodd eto. 'Dim ond eisio dod i'w nabod o o'n i, ond doedd o ddim eisio fy nabod i...'

'Ti'n gweld pam rŵan, dwyt...' dywedodd Buddug a nodiodd Non.

Claddodd ei phen ym mynwes ei mam a chlodd llygaid Buddug a Bryn eilwaith…

Aeth Non i'w llofft. Ond wrth iddi orwedd ar y gwely, teimlai'n saith gwaeth wrth feddwl am bopeth oedd wedi digwydd dros y deuddydd diwetha. Teimlai'n ffŵl. Fe'i rhybuddiwyd droeon i gadw draw oddi wrth Edward Skinner, ond roedd Non wedi meddwl ei bod hi'n gwybod yn well. Bu'n ddigon gwirion i gamu i'w fywyd a gadael iddi'i hun gynhesu ato. Gadawodd iddi'i hun ei hoffi hyd yn oed. Bu'n ddigon dwl i feddwl fod Edward Skinner wedi newid ond yr eiliad y sylweddolodd o pwy oedd hi, diflannodd y dyn hwyliog, direidus a dangosodd ei ddannedd. Trodd yn filain, yn union fel y trodd ar Buddug flynyddoedd ynghynt. Gwnaeth hi'n gwbl amlwg nad oedd o eisiau unrhyw gysylltiad â Non a doedd Non jest ddim yn deall. Roedd o'n derbyn Gruff. Pam nad oedd o'n ei derbyn hi? Beth oedd y gwahaniaeth? Doedd o ddim yn deg. Doedd o ddim yn gwneud synnwyr.

Drylliodd Edward Skinner hi a'i chwalu'n filiwn o ddarnau mân, ond pan ddychwelodd hi i'r Corsa bach coch at Adam wedi iddi gael ei thaflu allan o'r tŷ, ddywedodd o ddim gair. Wnaeth Adam ddim edliw na phwyntio bys. Dim ond tynnu Non i'w freichiau a'i dal yn dynn. Pan ollyngodd Adam hi yn 7 Cefn Heli oriau'n ddiweddarach, aeth Non yn syth i'w llofft ac eistedd yn syllu i'r gwagle am oriau, yn cicio'i hun am beidio gwrando ar ei rhieni a gwerthfawrogi'r ffaith mai ceisio ei hamddiffyn rhag teimlo'n ddiwerth roedden nhw.

Wrth i Non chwythu ei thrwyn yn uchel, tarodd Bryn ei ben heibio'r drws. Cariai gwpanaid o siocled poeth a phlatiad o dost stwnsh banana wedi'i dorri'n drionglau. Doedd Bryn heb wneud tost trionglau iddi ers blynyddoedd ond dyna fyddai o wastad yn ei wneud iddi pan oedd hi'n fach ac yn ypsét. Tost trionglau achubodd y dydd pan gollodd Non ei dant blaen ar ôl rhedeg i mewn i ffens drws nesaf. Pan gafodd y trip ysgol Sul i Rhyl ei ohirio pan oedd hi'n wyth. A phan faglodd hi a thorri'i braich wrth redeg ras wy ar lwy yn y carnifal.

'Ti 'di torri'r crystia,' meddai Non wrth i Bryn estyn y plât iddi.

'Ti ddim eisio cyrls, nag oes!'

Er gwaetha'i hun, gwenodd Non, gan ddifaru'i henaid ei bod wedi'i drin mor wael dros yr wythnosau diwetha. Bu Bryn yno iddi ers pan oedd hi'n ferch fach. Ers pan oedd hi'n fabi. Ers erioed. Gwyddai Non ei bod hi'n lwcus iawn ac roedd hi'n difaru mynd i ganlyn pwdryn fel Edward Skinner.

'Dwi'n sori,' meddai. 'Dwi'n sori am bob dim – Dad.' Alwodd Non mohono'n Dad ers wythnosau. Daeth lwmp i wddw Bryn wrth iddo lapio'i freichiau o'i chwmpas. Roedd ganddo gymaint o ofn colli ei hogan fach ac roedd o mor, mor falch pan lapiodd Non ei breichiau o'i gwmpas yntau. Dyna pryd y tarodd Ela ei phen heibio'r drws a chwifio potel o stwff glanhau colur.

'Hei, defnyddia hon!' meddai. 'Ti ddim eisio edrych fel Alice Cooper!' Bod yn garedig roedd Ela ac roedd hi mor falch o weld Non a Bryn yn cwtsho. Gallai Ela ladd Edward Skinner. Fyddai hi byth yn maddau iddo am frifo Non. Byth. Allai hi ddim credu y gallai neb fod mor frwnt a gobeithiai na fyddai sôn amdano eto. 'Reit, ddo i 'nôl wedyn 'ta...' dywedodd, 'cyn mi gael fy nhemtio i lowcio dy dost trionglau di...' Yna, anelodd Ela i lawr y grisiau er mwyn rhoi llonydd i Non a Dad.

Pan gerddodd Ela i mewn i'r gegin, gallai glywed rhywun yn siarad yn yr ardd. Buddug oedd hi, ar ei ffôn symudol. Roedd ei chefn at y drws a swniai'i llais yn galed, gyhuddgar. Meddyliodd Ela ei bod yn siarad â Nain Gloria am eiliad, a'i bod yn rhoi ffrae iddi am adael y gath o'r cwd, er ei bod wedi addo i Non na fyddai hi'n gwneud hynny.

'Mae hi'n llanast...' chwyrnodd Buddug a moelodd Ela'i chlustiau. 'Dim bod ots gen *ti* am hynny...'

Gwyddai Ela na fyddai hi byth yn dweud hynny wrth Nain Gloria, felly clustfeiniodd a chamu'n nes. Gyda pwy roedd ei mam yn siarad?

'Paid â rhoi bai arnaf i...' harthiodd Buddug. 'Dwi'n gwbod mai fi ofynnodd i ti daflu Non allan ond mae 'na reswm da am hynny, does Edward?'

Llygadrythodd Ela. Roedd hi'n syfrdan. Roedd Buddug ar y ffôn ag Edward Skinner! Wyddai Ela ddim fod y ddau mewn cysylltiad. A beth ddywedodd ei mam amdani'n gofyn iddo daflu Non allan? Doedd Ela ddim yn deall.

'Diolch i'r drefn fod Adam wedi ffonio i ddweud ei bod hi acw'n llnau neu faswn i ddim callach! A phaid ti'n â'n ffonio fi byth eto i tsiecio ei bod hi'n iawn, dallt?' Caeodd Buddug ei ffôn yn glep. Doedd Ela ddim yn deall. Pam roedd Edward Skinner wedi cysylltu â'i mam? Pam roedd ei mam wedi gofyn i Edward Skinner daflu Non allan o'i dŷ? Pam roedd Adam wedi mynd y tu ôl i gefn Non? Doedd dim yn gwneud synnwyr a diflannodd Ela i'r lolfa fel ysbryd wrth i Buddug gamu i'r gegin.

Roedd Ela mewn twll. Wyddai hi ddim beth i'w wneud. Taclo'i mam am yr alwad? Holi ei thad i weld a wyddai o unrhyw beth amdani? Dweud wrth Non? Dweud dim wrth neb? Roedd yr haf wedi bod yn hunlle ac ofnai Ela wneud pethau'n gan mil gwaeth drwy agor ei cheg. Teimlai'n ofnus, yn ansicr. Wedi'i rhwygo ddwy ffordd. Byddai'n llawer gwell ganddi petai hi heb glywed yr alwad. Ond roedd hi wedi ei chlywed ac roedd yn rhaid iddi benderfynu beth i'w wneud. Roedd rhywbeth yn mynd ymlaen, rhyw ddrwg yn y caws, ac os oedd Ela wedi dysgu unrhyw beth dros yr wythnosau diwetha, dysgodd fod cyfrinachau a chelwydd wastad yn dod i'r fei ac yn gwenwyno popeth yn y pen draw.

Bu Ela'n corddi am ddiwrnod cyfan ac erbyn pump o'r gloch y diwrnod canlynol roedd hi'n sefyll y tu allan i Sbargos, yn disgwyl i Non orffen ei shifft.

Roedd Ela wedi cnoi ewin ei bawd i'r bôn a'r eiliad y gwelodd Non hi, gwyddai fod rhywbeth o'i le. Cyn iddi gael cyfle i holi, chwydodd Ela gynnwys galwad ffôn Buddug ac Edward Skinner.

Diflannodd y ddaear o dan draed Non. Teimlai ei bod yn disgyn, a chwyrlïai cymylau o niwl o'i chwmpas. 'Ti wedi cam-ddallt, Ela... Rhaid bod ti...'

Ysgydwodd Ela'i phen. 'Naddo.'

'Ond pam fyddai Edward Skinner yn ffonio Mam? Pam fyddai hi eisio iddo fo 'nhaflu i allan o'i dŷ?' gofynnodd Non, gan anadlu'n fas a chyflym. 'Dydi o'm yn gwneud synnwyr. Pam fyddai hi eisio iddo fo fod mor greulon? Pam fyddai *hi* eisio bod mor greulon? Roedd hi'n fy nghysuro i ddoe, yn rhedeg ar Edward Skinner. Ond os mai hi oedd tu cefn i hyn i gyd...'

Crebachodd Non a difarodd Ela agor ei cheg.

'Ro'n i'n meddwl bod Mam a fi'n deall ein gilydd ar ôl ddoe. Dim mwy o gelwydd. Bod yn gwbl onest efo'n gilydd – o'r diwedd. Ond rŵan, os ydi be ti'n ddweud yn wir, mae hi wedi 'nhwyllo fi – eto...' Ysgydwodd Non ei phen yn ddryslyd.

'Wn i ddim ydi Dad yn gwbod am yr alwad,' meddai Ela.

'Fetia i di 'i fod o!' ffrwydrodd Non. 'Fedra i'm ei drystio fo, fedra i'm trystio Mam, fedra i ddim hyd yn oed trystio Adam! Fedra i'm credu'i fod o wedi dweud wrthi 'mod i'n Rhodfa'r Gorwel yn llnau! Cyfrinach oedd hi i fod. Ein cyfrinach ni'n dau...' Allai Ela ddim credu fod Adam wedi bradychu Non, chwaith, a phan welodd hi'r Corsa bach coch yn dod ar hyd y stryd yn canu corn, gwyddai y byddai cyflafan...

Roedd Ela wedi diflannu erbyn i'r Corsa ddod i stop. Gwthiodd Adam ei ben drwy'r ffenestr. 'Awydd mynd lawr dre am *chips*?'

'Dwi'n gwbod bod ti wedi ffonio Mam i ddweud 'mod i'n llnau yn Rhodfa'r Gorwel...' torrodd Non ar ei draws, ei llais fel cyllell. 'Y cachgi...'

Gwelwodd Adam wrth i'r geiriau ei drywanu.

'Paid â mentro gwadu! Mi glywodd Ela hi ac Edward Skinner yn siarad ar y ffôn. Ac ar ôl bob dim dwi wedi bod drwyddo fo, ro'n i'n meddwl mai ti oedd yr un person ro'n i'n medru'i drystio! Yr un person medrwn i ddibynnu arno fo! Ond o'n i'n rong! Ti 'di rhoi cyllall yn fy nghefn i, yn union fel pawb arall...' ffromodd Non a gwingodd Adam o weld y siom yn cymylu'i hwyneb.

Hedfanodd allan o'r car.

'Poeni amdanat ti o'n i...' meddai gan estyn amdani.

'Ia, ia...' atebodd Non gan gamu'n ôl. 'Mae pawb yn poeni amdana i, dydyn? Ac mae pawb yn meddwl bod hynny'n golygu y gallan nhw raffu celwydda wrtha i! Er mwyn fy amddiffyn i. Wel, dwi ddim angan fy amddiffyn, reit? Oeddet ti'n gwbod fod Mam yn mynd i ofyn i Edward Skinner fy nhaflu fi allan o'i dŷ?'

'Be?' gofynnodd Adam yn syn. 'Hi wnaeth hynny?'

'Ia.'

'Dwi ddim yn gwbod! Ond dwi *yn* gwbod un peth! Does dim rhaid i mi ei ddiodda fo! Ac mae petha drosto rhyngddat ti a fi!'

'Be?' gofynnodd Adam, y panig yn hyrddio drwyddo. 'Ti ddim yn gorffan efo fi?'

'Yndw!' gwaeddodd Non wrth i holl gynddaredd a siom yr wythnosau diwetha ferwi drosodd. 'Alla i ddim cael gwared o 'nheulu ond alla i gael gwared arnat ti!'

'Ti ddim yn meddwl hynna...'

'Yndw, bob gair! Ac os dywedi di wrth Mam ein bod ni wedi cael y sgwrs 'ma, ladda i di!' bloeddiodd Non cyn brasgamu i lawr y ffordd.

'Non! Paid â mynd! Paid â gwneud hyn! Plis! Gad ni siarad...' erfyniodd Adam gan grafangu am ei braich.

Gwthiodd Non ef ymaith. 'Does dim byd i'w ddweud! Dwi byth eisio dy weld di eto!'

Dechreuodd gwefus Adam grynu wrth iddo wylio Non yn gadael. Gwawriodd arno ei fod wedi talu'r pris am drio gwneud y peth iawn. Tarodd y siom fel gordd...

11

Pan ddychwelodd Non adref, roedd Ela ar bigau. Roedd Nain Gloria newydd gyrraedd gyda thecawê o'r Hot Wok er mwyn dathlu llwyddiant TGAU Non. Disgwyliai Ela i Non fynd i ben caetsh ond wnaeth hi ddim, dim ond cymryd ei lle wrth fwrdd y gegin a gwenu'n ddel wrth i Buddug a Bryn a Nain Gloria rag-weld dyfodol disglair iddi. Chyrhaeddodd y wên mo'i llygaid fodd bynnag, er na sylwodd neb heblaw Ela. Roedd Non yn bwyta'i *chow mein* yn dawel, fel petai dim byd yn bod. Dilëodd decst ar ôl tecst gan Adam yn erfyn arni i faddau iddo yn ystod y pryd ond soniodd Non ddim gair eu bod nhw wedi chwalu a phan gododd yr oedolion i fynd i olchi'r llestri, cornelodd Ela hi.

'Be sy'n mynd mlaen?' hisiodd. 'Be ddigwyddodd hefo Adam?'

'Adam pwy?' atebodd Non yn sur.

'Y?'

'Dwi wedi gorffan efo fo.'

'No wê!' Lloriwyd Ela.

'Do. Ond paid â deud gair neu fyddan *nhw* eisio gwbod pam. A dwi ddim eisio iddyn nhw wbod dim am rŵan.'

'Pam?' gofynnodd Ela'n ddryslyd. 'A pam ti ddim wedi taclo Mam am yr alwad ffôn?'

'O, mi wna i,' meddai Non, ei llais fel haearn Sbaen.

‘Pryd?’ gofynnodd Ela, gan gicio’i hun am achosi mwy o gythrwfl.

‘Pan fydd yr amser yn iawn…’ atebodd Non ac roedd hi’n gwbl amlwg fod ganddi rywbeth i fyny’i llawes…

Non oedd y gyntaf i godi y bore canlynol ac wrth iddi wneud paned, cafodd decst arall gan Adam yn pledio arni i fynd yn ôl ato. Dilëodd Non y tecst a thaflu’r ffôn ar y bwrdd yn flin wrth i Buddug ddod i’r gegin.

‘Iawn, pwt?’ gofynnodd ei mam yn ofal i gyd, gan wybod fod Non yn dal yn fregus wedi ergyd Edward Skinner.

‘Iawn,’ atebodd Non, er ei bod yn corddi’n dawel bach o weld ei mam mor annwyl a hithau wedi ymddwyn fel sarff.

‘Dwi’n gwbod dy fod ti wedi cael amser caled yn ddiweddar,’ meddai Buddug, ‘ond dwi yma os ti eisio siarad, cofia.’

Roedd Non eisiau gweiddi a sgrechian ei bod hi’n gwybod mai Buddug berswadiodd Edward Skinner i’w thaflu hi allan o’i dŷ a’i bod hi’n ei chasáu am fod mor ddauwynebog, ond brathodd ei thafod. ‘Baswn i’n hoffi mynd i siopa i Gaer Sadwrn nesa,’ meddai yn lle hynny. ‘Awydd?’

‘O, syniad grêt,’ atebodd Buddug, yn llawn brwdfrydedd ac yn falch fod Non yn meddwl am rywbeth heblaw'r hyn ddigwyddodd yn Rhodfa'r Gorwel. 'Ti'n haeddu cael dy sbwylio. Ofynnwn ni i Ela a Nain Gloria ddod hefo ni, ia? Diwrnod i'r brenin...'

'Dwi ddim eisio iddyn nhw ddod.'

'Fedrwn ni mo'u gadael nhw adra,' protestiodd Buddug.

'Ro'n i'n meddwl dy fod ti eisio'n sbwylio *i*,' mynnodd Non, 'a fyddwn ni byth yn cael mynd i unlle ar ben ein hunain – dim ond ni'n dwy. Ond 'na fo, os ti ddim awydd...'

Ofnai Buddug fod Non ar fin pwdu ac wedi haf mor drychinebus, meddyliodd na fyddai'n ddrwg o beth i'r ddwy dreulio ychydig o amser gyda'i gilydd. Fu pethau ddim 'run fath ers y ddamwain. Gobeithiai Buddug y byddai pethau'n well rŵan ei bod hi wedi cael gwared ar Edward Skinner o'u bywydau a chredai y byddai trip i Gaer gyda Non yn donig. 'O, ocê 'ta,' cytunodd. 'Awn ni'n dwy a gawn ni ginio bach neis yn rywle. Gei di ddewis lle.'

Gwenodd Non wrth i Buddug fynd i weiddi ar Bryn ac Ela ei bod hi'n amser codi. Roedd rhan un ei chynllun yn ei le.

Prynodd Buddug grys-t llwyd a phâr o jegins porffor i Non yn New Look. Prynodd bâr o fflip fflops coch a sbectol haul iddi yn Topshop, cyn talu am sgarff â phenglogau a rhosod arni yn H&M. Roedd Buddug yn mwynhau'r siopa. Meddyliodd Non ai euogrwydd oedd yn ei gyrru i wario cymaint arni, ond doedd dim arwydd o hynny, ac wrth i Non ddileu neges grafllyd arall gan Adam oddi ar ei ffôn, awgrymodd Buddug eu bod nhw'n mynd am ginio.

'Dwi'n llwgu. Lle awn ni, pwt?'

'I'r Gresham,' meddai Non ac edrychodd Buddug yn wirion arni.

Y Gresham oedd y gwesty drutaf yng Nghaer.

'Ti'n gall? Mae eisio morgais i dalu am bryd yn fan'no!'

'Ti sydd eisio'n sbwylio i…'

'Ia, ond y Gresham…? Be sy'n bod ar un o'r caffis bach 'na'n yr arcêd?'

'I'r Gresham dwi eisio mynd!' mynnodd Non wrth i Buddug wingo. 'Mae o'n achlysur arbennig a fedri di fforddio talu am ddwy frechdan yno, siawns. Rho fo ar dy gerdyn.'

Roedd yn gas gan Buddug ddefnyddio'i cherdyn credyd ond doedd hi ddim eisiau siomi Non. 'O ocê 'ta – am fod heddiw'n ddiwrnod arbennig. Ond beryg bydd raid ni fyw ar fara a dŵr am weddill yr wythnos…'

'Iawn,' atebodd Non gan arwain y ffordd tua'r Gresham, yn benderfynol o wneud i Buddug wingo mwy.

Dyn mewn lifrai du agorodd ddrysau trwm y Gresham iddynt, gan ddynodi eu bod yn camu i mewn i fyd hynod ariannog. Roedd y dderbynfa'n gymysgedd o farmor a gwydr soffistigedig a'r staff yn boenus o boléit. Dechreuodd Buddug ffidlan â'i gwallt, yn anniddig yng nghanol y crandrwydd, a gwyddai Non y byddai hi'n fwy anniddig fyth yr eiliad y bydden nhw'n mynd drwodd i'r bar. Edrychodd ar ei horiawr a gweld ei bod hi'n un o'r gloch, ar y dot. 'Dilyn fi,' meddai'n benderfynol gan ddilyn yr arwydd aur oedd yn dynodi fod y bar i'r chwith.

Gwthiodd Non ddrysau du'r bar yn agored ac roedd hi fel camu o'r dydd i'r nos – o'r dderbynfa olau braf i'r bar oedd yn dderw tywyll trwm gyda chadeiriau a soffas lledr cochfrown wedi eu gwasgaru hwnt ac yma o gwmpas byrddau isel, tra oedd drychau mawr hen ffasiwn yn crogi ar y waliau gwyrdd.

Roedd hi fel y bedd yno, ond roedd un person yn eistedd ym mhen draw'r ystafell. Magai baned tra plygai dros ffeil ond byddai Non yn adnabod y gwallt lliw castan, y combats du a'r crys lliain gwyn yn unrhyw le. Tynnodd anadl ddofn a gwau trwy'r cadeiriau tuag ato, a Buddug wrth ei chwt. Edrychodd y dyn i fyny wrth i'r ddwy agosáu. Rhewodd. Rhewodd Buddug hefyd wrth iddi ddod wyneb yn wyneb ag Edward Skinner am y tro cyntaf ers dros un mlynedd ar bymtheg.

Agorodd Edward Skinner ei geg i ddweud rhywbeth ond dim ond crawc ddaeth allan. 'Dim yma i gyfarfod cleient ydych chi,' meddai Non wrtho gan frwydro i gadw'r nerfau o'i llais. 'Ond i'n cyfarfod ni...'

Trodd Buddug at Non, ei gruddiau'n cochi â thymer. 'Chdi sy wedi trefnu iddo fo ddod yma?' fflamiodd.

'Ia!' fflamiodd Non hithau. 'Mae o'n meddwl ei fod o yma i gyfarfod Miss Jenks, i drafod tynnu lluniau priodas. Ond does 'na ddim Miss Jenks. Fi ffoniodd o, fel ein bod ni'n tri'n medru cyfarfod. Achos dwi eisio atebion! Eistedda, Mam.'

'Wna i ddim eistedd hefo hwnna!' poerodd Buddug.

'Gwnei! Achos dwi'n gwbod mai chdi orfododd o i 'nhaflu fi allan o'i dŷ!'

Simsanodd Buddug Parry wrth iddi ddal llygaid Edward Skinner.

'Glywodd Ela chi'n siarad ar y ffôn,' cyhuddodd Non. 'A wna i ddim symud o 'ma cyn i mi gael gwbod pam! Dwi ddim eisio celwydd. Jest y gwir plaen – am un waith.'

Edrychai Buddug fel sgwarnog mewn magl. 'Alla i ddim credu dy fod ti wedi mynd tu ôl i 'nghefn i...' coethodd.

'Gen i athrawes dda, does?' Taflodd Non y cyhuddiad i'w hwyneb fel slap. 'Rŵan, eistedda!'

'Fydd Bryn mor ypsét...' brathodd Buddug.

'Tyff! Mae o'n gwbod beth wnest ti, dwi'n cymryd?' holodd Non.

Atebodd Buddug ddim, gan gadarnhau amheuon Non, ac roedd meddwl am Bryn yn ei chysuro fore canlyniadau'r TGAU gyda'i dost trionglau yn saeth i'w chalon.

'Ddylai fod o yma hefo ni,' mynnodd Buddug. 'Pam wnest ti ddim gofyn iddo fo ddod?'

'Achos ro'n i eisio i 'mam a 'nhad ddod wyneb yn wyneb!' atebodd Non yn chwerw.

'Fydd *o* byth yn dad i ti!' ebychodd Buddug gan edrych ar Edward Skinner fel petai'n faw.

Wnaeth yntau ddim dadlau. Ddywedodd o ddim gair. Dod wyneb yn wyneb â'i ferch a'i mam oedd y peth olaf roedd o wedi'i ddisgwyl wrth gychwyn o Landudno, er mai hwy oedd yr unig beth fu ar ei feddwl ers dyddiau. Pan ffoniodd Buddug ychydig dros wythnos yn ôl a dweud wrtho mai ei ferch oedd y ddynes oedd wrthi'n brysur yn glanhau ei lofft, bu bron i Edward Skinner gael y farwol. Doedd o heb glywed llais Buddug ers dros un mlynedd ar bymtheg a phan ddywedodd hi wrtho am daflu Non allan yn syth bìn, dyna wnaeth o. Wnaeth o ddim meddwl nac ystyried. Dim ond panicio a gwneud yn union fel y dywedodd hi. A rŵan roedd yn rhaid iddo wrando ar Buddug yn ceisio cyfiawnhau ei hun.

'Pan ffoniodd Adam fi o Rodfa'r Gorwel i ddweud bod ti'n trio dod i nabod hwn drwy smalio bod yn ddynas llnau iddo fo, ges i ffit,' meddai Buddug gan weindio cudyn o'i gwallt yn dynn o gwmpas ei bys. 'A phan glywais i dy fod ti'n dechrau cynhesu ato, ddychrynais i fwy fyth...'

'Pam? Beth oedd mor ofnadwy am hynny?'

'Dy wrthod di wnâi o yn y pen draw, pwt, a byddai hynny'n llawer anoddach i'w lyncu petaet ti wedi dechrau ei hoffi o,' eglurodd Buddug ac roedd hi'n gwbl ddiffuant. 'Ro'n i ofn i ti ddechrau breuddwydio y bydda fo eisio bod yn rhan o dy fywyd di ond ddigwyddith hynny byth.'

'Ti ddim yn gwbod hynna!' coethodd Non.

'Bwysleisiodd o pan o'n i'n disgwyl na fyddai o *byth* yn dy gydnabod di, felly ro'n i'n credu y basa chwalu dy obeithion di ag un ergyd chwim yn fwy caredig na gadael i'r peth fynd mlaen a mlaen am wythnosau. Trio achosi llai o boen i ti o'n i. Trio dy amddiffyn di!'

'Pam mae pawb yn meddwl 'mod i angen fy amddiffyn? Dim hogan fach ydw i! Dwi'n ddigon hen i wneud fy mhenderfyniadau fy hun, Mam!' gwylltiodd Non yn gacwn. 'Ac ella na fasa fo wedi 'nhaflu fi allan petaet ti heb ymyrryd!' bytheiriodd gan droi at Edward Skinner a disgwyl ymateb.

'Ond ei gwrthod hi fasat ti'n y diwedd, yntê, Ed?' meddai Buddug cyn iddo gael cyfle i ateb, yn argyhoeddedig ei bod hi'n llygad ei lle.

'Dydw i ddim y teip i fod yn dad,' atebodd Edward Skinner yn dawel, gan ddod o hyd i'w lais o'r diwedd.

'Dydi hynny ddim yn wir!' Trodd Non arno yntau rŵan. 'Be am Gruff?'

'Gruff? Pwy ydi Gruff?' gofynnodd Buddug.

'Ei hogyn bach dyflwydd a hanner o…' eglurodd Non, cenfigen lond ei llais, a syllodd Buddug arni'n syn.

'O, Non,' ochneidiodd Edward Skinner gan sylweddoli ei bod hi wedi rhoi dau a dau at ei gilydd a chael pump. 'Dim fi pia Gruff. Hogyn bach Julie ydi o…'

Crychodd Non ei thalcen yn ddryslyd. Roedd hi'n bendant sicr fod Gruff yn hanner brawd iddi.

'Roedd o gan Julie cyn i ni gwrdd,' meddai Edward Skinner er mwyn chwalu unrhyw gamddealltwriaeth.

Bu Non yn pendroni am oriau yn methu deall pam

roedd Edward Skinner yn barod i dderbyn Gruff a dim y hi, ac er ei bod yn cael ei hysu gan genfigen, roedd hi wedi dechrau arfer â'r syniad o gael hanner brawd. Wedi hoffi'r syniad hyd yn oed. Llifodd ton o siom drosti ac er y gwyddai fod hynny'n hollol hurt, wyddai hi ddim beth oedd yn waeth: gwybod nad oedd ganddi hanner brawd neu gwybod bod Edward Skinner yn barod i fagu plentyn rhywun arall pan nad oedd o'n barod i gydnabod ei blentyn ei hun. Edrychodd Edward Skinner arni gan ddarllen ei meddwl.

'Dydi o ddim yn byw efo fi, wsti,' prysurodd i egluro'n dawel. 'Dim ond ar y penwythnosa mae o a Julie'n aros acw.'

'Siŵr bo hynny'n dy siwtio di i'r dim!' ebychodd Buddug. 'Dim cyfrifoldeb!'

'Wnes i erioed ofyn am gyfrifoldeb!' saethodd Edward Skinner yn ôl.

'Na finna! Ond yn wahanol i *ti*, wnes i ddim rhedeg i ffwrdd pan o'n i'n gwbod bod Non ar y ffordd!' atebodd Buddug, a chasineb a dicter blynyddoedd yn gwenwyno'i llais.

Tasgodd y tensiwn wrth i'w geiriau ddeifio'r awyr. Allai Edward Skinner ddim gwadu fod yr hyn ddywedodd Buddug yn wir ac yn sydyn, toddodd y blynyddoedd ac fe'i gwelodd hi fel merch ifanc bedair ar bymtheg unwaith eto, yn sefyll o'i flaen yn lletchwith ac ofnus wrth iddi dorri'r newyddion ei bod hi'n feichiog. Yna, gwelodd ei hun yn fachgen ifanc, yr un mor ofnus, ei fyd yn dymchwel a dim ar ei feddwl ond dianc, cyn iddo fygu.

'Drycha, mae'n ddrwg gen i,' meddai'n ddistaw. 'Ddyliwn i ddim fod wedi dweud y petha wnes i. Ro'n i'n ifanc ac yn gweld fy nyfodol yn diflannu. Ro'n i eisio mynd i'r coleg, eisio teithio, gweld y byd. Y peth dwytha ro'n i eisio oedd cael fy nghlymu i lawr. Ond dydi hynny ddim yn esgus...'

Bwriwyd Buddug oddi ar ei hechel. Roedd hi wedi casáu'r dyn yma am flynyddoedd. Wedi'i ffieiddio, a'r peth olaf roedd hi'n ei ddisgwyl oedd iddo ddisgyn ar ei fai. Wyddai hi ddim beth i'w ddweud. Ond gwyddai na fyddai'n maddau iddo. Roedd gormod wedi digwydd ac allai un ymddiheuriad bach ddim gwneud iawn am flynyddoedd o loes. Roedd y briw'n rhy ddwfn.

'Does dim wedi newid,' ychwanegodd Edward Skinner gan droi 'nôl at Non ac edrych i fyw ei llygaid. 'Dwi dal ddim eisio cael fy nghlymu i lawr...'

'Mor hunanol ag erioed!' ebychodd Buddug, er na swniai'i llais cweit mor ddig.

'Ydw. Dwi'n hunanol,' cyfaddefodd Edward Skinner. 'Ond o leia dwi'n onest. A dwi ddim yn mynd i ymddiheuro am hynny, chwaith. Er, ddyliwn i ymddiheuro am dy daflu di allan mor ddiseremoni, Non. Panicio wnes i,' meddai gyda gwên gam, 'a gwneud beth ddywedodd dy fam, heb hyd yn oed ystyried. Ro'n i wedi cael ffasiwn sioc. Syrpréis...'

'A dydych chi ddim yn hoffi syrpreisys...' meddai

Non a sylweddolodd Edward Skinner ei bod hi'n cofio'r hyn ddywedodd o am y neidr yn ei gwpwrdd crasu.

'Na,' dywedodd. 'Gas gen i syrpreisys, ac roeddet ti'n fwy o syrpréis na Cameron...'

Gwenodd Non, er gwaetha'i hun, cyn difrifoli a gofyn y cwestiwn y bu hi'n ysu i'w ofyn. 'Wnaethoch chi feddwl amdana i o gwbl dros y blynyddoedd?'

'Do. Weithia,' atebodd, ar ôl ystyried am beth deimlai fel hydoedd. 'Ond ddim yn aml.'

Tynhaodd cyhyrau Non. Roedd hi wedi gweld llwyth o raglenni Jeremy Kyle lle roedd mamau a thadau yn mynnu nad oedd diwrnod yn mynd heibio heb iddyn nhw feddwl am eu plant coll ac roedd meddwl nad oedd Edward Skinner yn teimlo 'run fath yn brifo.

'Dwi ddim eisio dy frifo di,' meddai yntau fel petai'n darllen ei meddwl unwaith eto. 'Ond wna i ddim dweud celwydd wrthat ti, chwaith.'

Shifftiodd Buddug yn anniddig pan glywodd hi hyn ac roedd Non yn falch fod ganddi ddigon o wyleidd-dra i edrych yn euog. Nid Edward Skinner oedd yr unig un oedd wedi bihafio'n wael.

'Gawsoch chi'ch temtio i gysylltu?' pwysodd Non.

Ysgydwodd Edward Skinner ei ben. 'Do'n i ddim eisio cynhyrfu'r dyfroedd. Ro'n i'n gwbod y byddai Bryn yn edrych ar dy ôl di. Gen i ofn ei fod o'n fwy o foi na fi. Fasa fo ddim yn hapus petawn i'n waltsio 'nôl i dy fywyd di a'i atgoffa fo o be ddigwyddodd...' Oedodd Edward Skinner a synfyfyrio am eiliad. 'Roedden ni'n dau'n ffrindiau da ar un adeg. Roedden ni i gyd yn ffrindiau da, doedden Buddug?'

Ddywedodd Buddug ddim byd ond wnaeth hi ddim gwadu.

'Fyddech chi wedi cysylltu, oni bai am Bryn?' holodd Non.

Astudiodd Edward Skinner hi am ennyd ac ystyried. Yna, ysgydwodd ei ben. 'Losgais i 'mhontydd pan droies i 'nghefn ar dy fam. Doedd gen i ddim hawl ymyrryd wedyn...'

'Nag oedd! Ti'n iawn,' ategodd Buddug yn hunangyfiawn i gyd.

'Dwi ddim yn bwriadu ymyrryd rŵan, chwaith,' torrodd yntau ar ei thraws. 'Gwranda Non, os wyt ti wedi dod i chwilio amdana i yn y gobaith y gwna i newid fy meddwl a phenderfynu 'mod i eisio bod yn dad i ti mwya sydyn, ti'n gwneud camgymeriad ac mae Buddug yn iawn. Ddigwyddith hynny byth.'

Bu distawrwydd eto a daliodd Buddug ei gwynt, gan wylio Non fel barcud. Ofnai iddi chwalu'n dipiau, yn union fel y chwalodd hithau flynyddoedd yn ôl. O'r eiliad y clywodd hi fod Non wedi dod o hyd i Edward Skinner, dyma'i hofn mwyaf, ond er syndod roedd Non yn bwyllog a hunanfeddiannol.

'Dwi ddim yn chwilio am dad arall,' meddai mewn ychydig. 'Mae gen i un yn barod. Mae Bryn wedi gwneud camgymeriadau. Fel Mam. Ond dwi'n dal i feddwl amdano fo fel 'y nhad i. Fedar rhywun gael babi ond mae o'n cymryd rhywun sbesial i fod yn rhiant.'

Nodiodd Edward Skinner a ffrydiodd ton enfawr o ryddhad drwy Buddug wrth iddi glywed fod Non yn dal i feddwl fod Bryn yn sbesial, er gwaethaf popeth oedd wedi digwydd.

'Ond hoffen i ddod i'ch nabod chi,' meddai Non wrth Edward Skinner. 'Dwi ddim eisio dim ganddoch chi. Dwi wedi gwneud yn tshampion hebddoch chi tan rŵan ac fe wna i'n iawn hebddoch chi eto. Ond ella, rhyw ddiwrnod, gallwn ni fod yn ffrindia...'

Wyddai Edward Skinner ddim beth i'w ddweud. Roedd hwn yn dir estron, peryglus.

'Wn i ddim os basa Bryn yn hoffi hynny.' Allai Buddug ddim peidio â rhoi ei phig i mewn.

'Tyff! Dydi o'n ddim byd i'w wneud hefo fo!' meddai Non yn swta gan sgriblo ei rhif ffôn ar fat cwrw a'i wthio ar draws y bwrdd i Edward Skinner. 'A dydi o'n ddim byd i'w wneud hefo chdi chwaith, Mam! Os ydi Edward yn penderfynu ei fod o eisio dod i'n nabod i'n well, fydd rhaid i chi ddelio â hynny. Yn union fel dwi wedi gorfod delio hefo fo.'

Caeodd Buddug ei cheg yn glep wrth i Edward syllu ar y mat cwrw, ei wyneb yn annarllenadwy.

12

Roedd prysurdeb byrlymus yn 7 Cefn Heli. Gan fod barbeciw pen-blwydd Non wedi mynd i'r gwellt ddechrau'r haf, penderfynodd Buddug a Bryn gynnal un arall cyn i'r genod fynd 'nôl i'r ysgol, ond y tro yma roedden nhw wedi penderfynu gwadd eu cyfeillion hwythau hefyd. Roedd hi'n argoeli i fod yn noson dda ac roedd Bryn wrthi'n sgwrio padell y barbeciw. Roedd o'n olosg o'i gorun i'w sawdl pan gerddodd Non i lawr llwybr yr ardd gyda gwydraid o ddŵr a photel o dabledi.

'Ti wedi anghofio cymryd un,' meddai gan stopio Bryn rhag sgwrio.

'Be faswn i'n neud hebddat ti, d'wad?' gofynnodd yntau gan estyn am y botel.

'Mynd yn sâl?' cellweiriodd Non. 'A be faswn i'n neud hebdda *chdi* wedyn?'

'Fasa'n rhaid i ti sgwrio'r barbeciw dy hun...' dywedodd Bryn.

'Yn union!' meddai Non. 'Felly, llynca'r dabled yn reit handi!'

Gwenodd y ddau gan geisio anwybyddu straen affwysol y dyddiau diwetha. Brifwyd Bryn i'r byw pan ddarganfu fod Non wedi trefnu cyfarfod rhwng Buddug ac Edward Skinner. Roedd yn gas ganddo gael ei gau allan ond lliniarwyd tipyn ar ei bryder pan eglurodd Non mai fo y byddai hi wastad yn ei ystyried fel ei thad.

Roedd hynny'n goblyn o ryddhad gan fod Bryn ofn i Edward Skinner gipio Non oddi arno. Er nad oedd o'n hapus ei bod hi wedi'i wadd o i fod yn rhan o'i bywyd, gwyddai y byddai'n rhaid iddo ddygymod â hynny neu fentro'i cholli. Gobeithiai'n dawel bach y byddai Edward Skinner yn gwrthod y gwahoddiad, a rhannai Buddug yr un dyhead. Doedd yr un o'r ddau eisiau rhannu Non a gan na chlywodd hi siw na miw ganddo ers y prynhawn hwnnw yn y Gresham, roedd y ddau'n gweddïo y byddai'n cadw draw.

Ceisiai Non beidio â meddwl am y peth drwy gadw'i hun yn brysur a phan gyhoeddodd Buddug ei bod am fynd i Lidl i siopa bwyd ar gyfer y barbeciw, cynigiodd ei merch hynaf fynd gyda hi. Cynigiodd Ela fynd hefyd ond dim ond am ei bod yn bwriadu slipio potel o ewinedd polish newydd i'r cert siopa pan fyddai ei mam wedi troi'i chefn.

Roedd mynydd o gigoedd, salads a bara yng nghert siopa Buddug Parry pan anfonodd hi Non i nôl sudd o'r eil diodydd. Aeth Ela i'w helpu, gan weld cyfle i slipio i'r eil ymbincio, a diflannu wrth i Non estyn am y cartonau o silff uchaf yr eil. Roedd ganddi lond ei hafflau pan ddaeth Adam rownd y gongl a bu bron iddo fwrw'n syth i mewn iddi. Trodd yr awyr yn drydan. Doedden nhw ddim wedi gweld ei gilydd ers y diwrnod y gorffennon nhw a theimlai'r ddau'n chwithig. Stopiodd Adam yrru tecsts pan sylweddolodd fod Non yn benderfynol o'i anwybyddu ac er ei fod yn cicio'i hun am fynd y tu ôl i'w chefn, doedd o ddim wedi stopio meddwl amdani.

Doedd Non ddim wedi stopio meddwl amdano yntau chwaith ac er gwaethaf popeth, daeth ei lygaid glasddu â gloÿnnod byw i'w bol. Er gwaetha'r ffaith ei bod hi'n ceisio gwadu hynny, hiraethai amdano. Fel cariad ac fel ffrind.

'Iawn?' mwmiodd Adam yn ansicr.

'Iawn?' atebodd Non. Wyddai hi ddim beth i'w ddweud, felly dywedodd y peth cyntaf ddaeth i'w phen. 'Ym... gen ti olew ar dy foch.'

'O,' meddai Adam gan ei sychu'n ffyrnig a theimlo'n ffŵl.

Bu distawrwydd. Distawrwydd hir, annifyr. Yna, pwyntiodd Adam at y cartonau dan ei braich.

'Gen ti goblyn o sychad, mae'n rhaid.'

'Cael barbeciw 'dan ni.'

'O. Rhaid bod petha'n well acw 'ta?'

Nodiodd Non.

'Cŵl...' dywedodd Adam ac wrth iddo syllu i'w hwyneb, cafodd Non y teimlad ei fod yn ysu am ddweud rhywbeth arall wrthi, rhywbeth pwysig, ond sgrialodd Ela rownd y gongl a sbwylio'r foment.

'Does ganddyn nhw ddim polish ewinedd!' gwaeddodd cyn stopio'n stond wrth weld Non yn siarad ag Adam. 'O, sori...' meddai gan synhwyro'r tyndra a dechrau bagio yn ei hôl ond roedd y foment wedi diflannu a'r Adam ffrwcslyd eisoes yn troi oddi wrth Non.

'Well mi fynd 'nôl i'r garej...' meddai a gallai Non dagu Ela am dorri ar draws wrth iddi wylio'i ben ôl bach del yn diflannu i'r pellter.

'Ti'n difaru gorffen hefo fo, dwyt?' dywedodd Ela gan syllu ar Non yn syllu ar Adam. Allai Non ddim gwadu, er y byddai hi'n ei chael hi'n anodd maddau iddo. Ond roedd bywyd yn llawer llwydach hebddo.

'Alli di ddim bod yn flin hefo fo am byth,' mynnodd Ela gan ei bod yn hoff o Adam ac yn dyheu i bopeth fynd yn ôl i normal, fel roedden nhw ddechrau'r haf. 'Gwadd o i'r barbeciw...'

'Fyddai o byth yn dod,' atebodd Non. 'Byth bythoedd, amen.'

'Sut ti'n gwbod?'

'Mae o'n amlwg yn dal yn flin hefo fi.'

'Wel, does 'na ddim ond un ffordd o ffendio allan. Tecstia fo,' heriodd Ela.

Edrychodd Non ar ei ffôn. Edrychodd ar Ela. Edrychodd ar ei ffôn eilwaith. Wyddai hi ddim beth ar y ddaear i'w wneud...

Roedd y barbeciw yn ei anterth erbyn saith. Roedd hi'n noson fwyn ac roedd yr ardd gefn yn fwrlwm o liw, sŵn a goleuadau bach wrth i'r gwesteion balu i mewn i'r bwyd a'r diod y bu Buddug wrthi'n brysur yn eu paratoi. Pwmpiai Y Bandana o'r chwaraewr cryno-ddisgiau gan gymysgu gyda'r chwerthin a'r cadw reiat ac roedd Non yn mynd yn ôl ac ymlaen i'r drws ffrynt fel io-io i'w agor i'r gwesteion. Pan agorodd hi'r drws am y chweched tro, hwyliodd Nain Gloria i fyny'r llwybr yn gwmwl o fwg, ffrog goch oedd fymryn yn rhy gwta a photel o Malibu dan ei braich.

'Yli pwy wnes i ffendio!' meddai gan bwyntio at Adam swil oedd ychydig gamau y tu ôl iddi.

Edrychai Adam yn ansicr ond y munud y gwelodd Non ei grys-t gwyn a'i jîns *skinny* llwyd, dychwelodd y gloÿnnod byw i'w bol a diolchodd ei bod hi wedi magu digon o blwc i'w decstio wedi i Ela ei phlagio.

'Ddoist ti,' meddai Non yn swil.

'Edrych felly, dydi,' dywedodd Nain Gloria gan hwylio heibio i Non. 'A taswn i hanner can mlynedd yn fengach…'

Winciodd yn awgrymog ar Adam a chochodd yntau.

'Nain!' cywilyddiodd Non wrth i honno ddiflannu heibio iddi i'r tŷ dan chwerthin. Roedd hi, fel Buddug a Bryn, yn hoff o Adam ac yn gresynu mai fo oedd wedi gorfod talu'r pris am anfadwaith yr haf.

'Ti ddim am fy anwybyddu i?' gofynnodd Adam yn dawel.

Ysgydwodd Non ei phen. 'Sori am beidio ateb dy decsts di,' meddai gan eistedd ar y wal fach frics coch o flaen y tŷ.

'Sori am fynd tu ôl i dy gefn di,' dywedodd Adam. 'Wir. O waelod calon. Poeni amdanat ti o'n i, sti.'

'Mae pawb wedi poeni amdana i yr haf 'ma…'

'Beth mae hynny'n ddweud wrthat ti?' gofynnodd Adam.

Gwyddai Non yn iawn beth roedd Adam yn ei

awgrymu. Sylweddolai erbyn hyn mai ei lles hi oedd gan bawb mewn golwg. Ac allai hi ddim dal dig am byth. Roedd bywyd yn rhy fyr.

'Ydi Mrs P'n gwbod fod Ela wedi'i chlywed hi'n siarad ar y ffôn?' holodd Adam.

Nodiodd Non ac roedd wyneb Adam yn bictiwr pan glywodd beth ddigwyddodd yn sgil hynny. Roedd o'n gegrwth pan glywodd am y cyfarfyddiad yn y Gresham a rhyfeddai fod cymaint wedi digwydd i Non mewn cyn lleied o amser, pan mai'r cyfan roedd o wedi'i wneud oedd trwsio injans ceir a llyfu'i glwyfau.

'Waw, Non, wn i ddim be i ddweud,' chwibanodd. 'Gen ti gyts i drefnu hynna!'

'Wel, dwi ddim yn meddwl bod Edward Skinner eisio dod i'n nabod i, neu fasa fo wedi cysylltu cyn hyn. Mae dyddiau wedi mynd heibio ers i ni gyfarfod...'

'Ti byth yn gwbod,' atebodd Adam.

Ddywedodd yr un o'r ddau ddim am dipyn. Yna, torrodd Adam ar y distawrwydd.

'Gen i hiraeth amdanat ti,' meddai a llamodd calon Non wrth iddo eistedd ar y wal fach frics.

'Gen i hiraeth amdanat *ti*,' meddai Non.

'Oes?'

'Oes.'

Chwalodd ias fach bleserus drwy Non wrth iddo gydio yn ei llaw. Fe'i gwasgodd yn dynn, fel petai o byth am ei gollwng. Yna, gwenodd wên fach giwt ac wrth iddo blygu ymlaen i fentro'i chusanu, saethodd Non ar ei thraed.

'O, dwi'n sâl...' meddai.

'E? Be?' dywedodd Adam gan ofni ei fod wedi gwthio pethau'n rhy bell.

'Alla i ddim credu hyn!' hisiodd Non. 'Mae o yma! Mae Edward Skinner yma...' Dilynodd Adam ei llygaid i ble roedd gŵr gwallt castan mewn crys lliain gwyn a chombats mwstard yn dod allan o BMW glas tywyll. Roedd cysgod gwên ar ei wefusau ond chwaraeai â'i freichledi lledr yn ddi-baid, gan awgrymu ei fod yn nerfus. Trodd coesau Non yn jeli wrth iddo nesáu.

'Hei!' cyfarchodd Edward Skinner hi'n heulog. 'Meddwl o'n i ella galla i gael gair? Preifat,' ychwanegodd gan amneidio ar Adam.

Edrychodd Adam ar Non i weld a oedd hi am iddo'i gadael a phan nodiodd hithau, cododd.

'Ym, iawn. A' i i'r tŷ 'ta,' meddai gan anelu i fyny'r llwybr tua'r drws ffrynt.

Cyfarfu ag Ela wrth iddo groesi'r rhiniog a phan ddywedodd o wrthi pwy oedd y gŵr gwallt castan, lledodd ei llygaid gwyrdd led y pen. Syllodd ar Edward Skinner o'i gorun i'w sawdl cyn diflannu i'r tŷ fel gafr ar d'rannau. Dilynodd Adam hi, gan gau'r drws ffrynt ar ei ôl fel y gallai Non ac Edward Skinner gael preifatrwydd.

'Ti'n iawn?' gofynnodd Edward Skinner, yn ansicr sut y dylai ddechrau dweud yr hyn roedd o wedi dod draw i'w ddweud.

'Tshampion. Rydan ni'n cael parti,' atebodd Non.

'O. Ym. Sori. Amseru gwael, felly...' ymddiheurodd Edward Skinner.

'Dibynnu be 'dach chi eisio'i ddweud...' atebodd Non gan edrych arno'n nerfus, ei meddwl yn rasio.

Teimlai Edward Skinner hyd yn oed yn fwy nerfus ond allai o ddim osgoi'r anochel am byth, felly tynnodd anadl ddofn.

'Gwranda, dwi wedi bod yn meddwl am beth ddwedaist ti,' meddai. 'A dweud y gwir, dwi ddim wedi meddwl am ddim arall...'

'A?' Daliodd Non ei gwynt. Gwyddai fod y foment fawr wedi dod.

'Fedra i byth fod yn dad i ti...'

'Dwi ddim yn chwilio am dad, nadw!' torrodd Non ar ei draws yn siarp.

'Na, wn i. A dyna pam dwi *yn* barod i drio bod yn ffrindiau.'

Syllodd Non arno. Oedd hi wedi ei glywed yn iawn? Roedd ganddi gymaint o ofn iddo'i gwrthod, yn union fel y gwrthododd hi un mlynedd ar bymtheg yn ôl, ond dyma lle roedd o'n sefyll o'i blaen yn dweud ei fod o'n barod i roi cynnig ar ddod i'w hadnabod yn well.

'Go iawn?' gofynnodd Non.

'Go iawn. Gawn ni weld sut aiff hi. Un dydd ar y tro, fel basa'r hen foi gwallt gwyn 'na'n canu...'

'Trebor Edwards?' gofynnodd Non ac wrth i lygaid Edward Skinner lenwi â direidi, brasgamodd Buddug a Bryn drwy'r drws ffrynt, ac Ela ac Adam wrth eu cwt.

Cododd gwrychyn Bryn yn syth pan welodd Edward Skinner ar ei lwybr ffrynt. Doedd o heb ei weld ers blynyddoedd a byddai'n fwy na hapus petai byth yn ei weld eto. Er fod Non wedi addo iddo na fyddai'r bwbach yn cymryd ei le, roedd o'n dal yn ddraenen yn ei ystlys. Yn fygythiad. Ond gwyddai Bryn na allai adael i'w dymer gael y gorau ohono.

'Ed,' meddai gan roi hanner nòd sifil iddo wrth i Buddug edrych yn bryderus o'r naill i'r llall.

'Bryn,' atebodd Edward Skinner gan nodio'n ôl. 'Dwi ddim eisio sefyll ar gyrn neb,' ychwanegodd, 'a dwi'n gwbod na fydd o'n hawdd – ond dwi wedi galw i dderbyn cynnig Non. Cyn belled â bod hynny'n olreit hefo chi.'

Edrychodd Bryn a Buddug ar ei gilydd. Doedd o ddim yn olreit. Roedd o'n bell o fod yn olreit. Doedd yr un o'r ddau eisiau i Edward Skinner fod yn rhan o fywyd Non gan y byddai hynny'n golygu y byddai'n rhan o'u bywydau hwythau hefyd. Ond doedd ganddyn nhw ddim dewis.

'Dwi wedi dweud unwaith, Edward,' meddai Non. 'Dydi o'n ddim byd i'w wneud efo Mam a Dad.'

Roedd Bryn mor falch o'i chlywed yn ei ddisgrifio fel 'Dad'. Roedd hynny'n fuddugoliaeth fechan dros Edward Skinner, er y gwyddai Bryn a Buddug na allen nhw fyth rwystro Non rhag ei weld. Allen nhw mo'i hamddiffyn na'i lapio mewn gwlân cotwm am byth. Roedd yr haf yn dyst i'r ffaith fod Non yn tyfu i fyny. Roedd yn rhaid iddynt ollwng eu gafael, er mor boenus oedd hynny.

'Dwi ddim eisio ypsetio neb,' meddai Edward Skinner.

'Na finna,' dywedodd Non. 'Dyna pam nad ydw i'n mynd i'ch gwadd chi i mewn heddiw.'

Crychodd Edward Skinner ei dalcen mewn dryswch.

'Fydd neb yn y barbeciw'n gwbod pwy ydach chi a dwi ddim eisio creu embaras i neb,' eglurodd Non gan edrych i fyw llygaid Bryn a Buddug. 'Beth petawn i'n dod draw i Landudno dydd Sadwrn?'

'Ia, iawn,' atebodd Edward Skinner. 'Dwi ddim eisio gwneud pethau'n annifyr i neb, chwaith.'

'Ella gyrrith Adam fi draw?' awgrymodd Non gan droi at Adam, ei dwy lygaid frown yn byllau o obaith.

Sythodd Adam i'w daldra llawn.

'Adam?' gofynnodd Edward Skinner.

'Ia,' atebodd Non gan bwyntio ato a'i gyflwyno. 'Fo ydi 'nghariad i...'

Pan wenodd Adam, teimlodd Non fod yr haul wedi torri drwy gwmwl ac, o'r diwedd, gwyddai fod popeth yn mynd i fod yn iawn.

Hefyd yn y gyfres:

£4.95

£4.95

CYFRES mellt

HWDI

Gareth F Williams

£4.95

Am restr gyflawn o lyfrau'r Lolfa, mynnwch
gopi am ddim o'n catalog
neu hwyliwch i mewn i'n gwefan

www.ylolfa.com

lle gallwch archebu llyfrau ar-lein.

TALYBONT CEREDIGION CYMRU SY24 5HE
ebost ylolfa@ylolfa.com
gwefan www.ylolfa.com
ffôn 01970 832 304
ffacs 832 782